Ravensburger Taschenbücher
Band 116

D0767059

Otto Maier Verlag Ravensburg

Robert Louis Stevenson

Die Schatzinsel

Roman

Diese Taschenbuchausgabe ist zugleich die Grundlage für die Arbeit
mit dem Buch »Der Roman im Unterricht« von Rolf Geißler und Peter Hasubek.
Verlag Moritz Diesterweg, Frankfurt.

Deutsch von Richard Mummendey
Für die »Ravensburger Taschenbücher« herausgegeben von Barbara Gehrts

Gekürzte Lizenzausgabe des Winkler Verlages, München
© 1962 by Winkler Verlag, München
Erstmals 1968 in den Ravensburger Taschenbüchern

Umschlagentwurf und Illustration von Edith Schindler

Alle Rechte dieser Ausgabe vorbehalten durch
Otto Maier Verlag Ravensburg
Gesamtherstellung: Druckerei Am Fischmarkt, Konstanz
Printed in Germany

11 10 9 8 7   80 79 78 77 76

ISBN 3-473-39116-6

Inhalt

Lloyd Osbourne

einem amerikanischen Gentleman,
dessen klassischem Geschmack entsprechend
die folgende Erzählung erdacht wurde,
sei sie hiermit zum Dank
für zahlreiche angenehme Stunden
und mit den herzlichsten Wünschen
gewidmet von seinem wohlgesinnten Freunde,
dem Verfasser

An den unschlüssigen Käufer

Wenn Seemannsgarn zu Seemannssang,
wenn Wagnis, Sturm und Untergang,
wenn Segler, Piraten, vergrabenes Gold
und Inseln, wo tosend die Brandung rollt,
wenn all die alte Sagenwelt,
wie man sie mir vordem erzählt,
die klüg're Jugend unsrer Zeit
noch so wie einstmals mich erfreut,
dann sei's, fangt an! –

             Wenn aber jetzt
die fleißige Jugend nicht mehr schätzt
und keine Lust mehr hat daran,
was Kingston, Ballantyne ersann,
was Cooper uns von Wald und See
erzählt – nun denn, fahrt wohl! Dann geh
auch ich mit meinen Piraten hinab
zu ihnen und ihren Geschöpfen ins Grab.

                           R. L. St.

Erster Teil

Der alte Bukanier*

Der alte Seebär im »Admiral Benbow«

Da Squire** Trelawney, Dr. Livesey und die übrigen Herren mich gebeten haben, alle Einzelheiten über die Schatzinsel vom Anfang bis zum Ende niederzuschreiben und nichts zu verschweigen als ihre Lage, und auch das nur, weil sich dort noch ungehobene Schätze befinden, ergreife ich im Jahre des Heils 17.. die Feder und gehe zurück auf die Zeit, als mein Vater den Gasthof »Admiral Benbow« bewirtschaftete und der gebräunte alte Seemann mit dem Säbelhieb im Gesicht zum ersten Male sein Quartier unter unserem Dach aufschlug.

Ich erinnere mich seiner, als sei es gestern gewesen, wie er, seine Seemannskiste auf einem Handkarren hinter sich, schwerfällig an die Tür des Gasthauses kam. Er war ein großer, starker, schwerer, tiefgebräunter Mann, sein teeriger Matrosenzopf fiel ihm auf die Schultern seines schmutzigen blauen Rockes, seine Hände, schwielig und zerschunden, hatten schwarze, abgebrochene Nägel, und der Säbelhieb auf der einen Wange war von einem schmutzigen, fahlen Weiß. Ich entsinne mich, wie er rings über die Bucht blickte, dabei vor sich hin pfiff und dann das alte Seemannslied anstimmte, das er später so oft sang:

»Fünfzehn Mann auf des toten Manns Kist,
Johoo – und 'ne Buddel Rum«,

* Bukanier und Flibustier: organisierte Seeräuberbanden im 17. und 18. Jahrhundert in den Westindischen Gewässern (Anmerkung des Übersetzers).
** Englischer Adelstitel, im Range etwa unter dem Ritter (Anmerkung des Übersetzers).

mit hoher, alter, unsicherer Stimme. Dann klopfte er mit seinem Stock, der einer Brechstange glich, an die Tür und verlangte, als mein Vater erschien, grob ein Glas Rum. Als ihm das gebracht wurde, trank er es langsam wie ein Kenner aus, wobei er den Geschmack auskostete, und blickte wieder rings umher auf die Klippen und auf unser Wirtshausschild.

»Das ist eine nette Bucht«, sagte er schließlich, »und 'n hübsch gelegener Rumladen. – Viel Kundschaft, Nachbar?«

»Nein«, antwortete ihm mein Vater, »sehr wenig, es ist ein Jammer.«

»Na schön«, erwiderte er, »das ist der richtige Ankerplatz für mich. Heda, Freundchen«, rief er dem Mann zu, der den Karren schob, »dreht hier längsseits bei und helft mir meine Kiste raufbringen. Hier will ich ein Weilchen bleiben«, fuhr er fort. »Ich bin ein einfacher Mann; Rum und Speck und Eier, das ist's, was ich brauche, und die Höhe da drüben als Ausguck auf die vorbeifahrenden Schiffe. Wie Ihr mich nennen sollt? Ihr könnt Käpt'n zu mir sagen. Ach so, ich verstehe, was Ihr meint – da«, und damit warf er drei oder vier Goldstücke auf die Schwelle. »Sagt mir nur, wenn ich damit durch bin«, fügte er hinzu und blickte so stolz wie ein Kommandant um sich.

Und tatsächlich hatte er, so schlecht seine Kleider waren und so ungeschliffen er sprach, nicht das Aussehen eines Mannes, der vor dem Mast* gefahren war, sondern glich mehr einem Steuermann oder Kapitän, der gewohnt war, Gehorsam zu finden oder zuzuschlagen.

Für gewöhnlich war er ein sehr schweigsamer Mann. Jeden Tag trieb er sich mit seinem Messingfernrohr rings um die Bucht oder auf den Klippen herum, und jeden Abend saß er in einer Ecke der Gaststube am Feuer und trank einen steifen Grog. Wenn man ihn ansprach, antwortete er meist gar nicht, sondern blickte nur rasch und böse auf und blies durch die Nase wie ein Nebelhorn. Wir und die Leute, die in unser Haus kamen, lernten bald, ihn in Ruhe zu lassen. Jeden Tag, wenn er von seinem Spaziergang

* »vor dem Mast«, d. h. im Vorderschiff, befinden sich die Mannschaftsquartiere (Anmerkung des Übersetzers).

zurückkam, pflegte er zu fragen, ob nicht ein seefahrender Mann vorübergekommen sei. Anfangs dachten wir, der Mangel an Gesellschaft von Leuten seines Schlages veranlasse ihn zu der Frage, aber schließlich begriffen wir, daß er diesem auszuweichen suchte. Kehrte einmal ein Seemann im »Admiral Benbow« ein, so beobachtete er ihn durch den Vorhang an der Tür, ehe er die Gaststube betrat, und hielt sich stets mäuschenstill, solange ein solcher Gast anwesend war. Für mich jedenfalls war kein Geheimnis bei der Sache, denn ich nahm gewissermaßen an seinen Sorgen teil. Eines Tages hatte er mich beiseite genommen und mir für jeden Monatsersten ein silbernes Vierpencestück versprochen, wenn ich »scharf Ausguck hielte nach einem seefahrenden Mann mit einem Bein« und es ihn augenblicklich wissen ließe, wenn er auftauchen sollte.

Ich vermag kaum zu sagen, wie dieser Mensch mich in meinen Träumen heimsuchte. In stürmischen Nächten, wenn der Wind an den vier Ecken des Hauses rüttelte und die Brandung in der Bucht und an den Klippen brüllte, sah ich ihn in tausenderlei Gestalten und mit tausend teuflischen Grimassen. Bald war das Bein am Knie abgeschnitten, bald an der Hüfte; bald war er eine Art Ungeheuer, mit nur dem einen Bein, das ihm von der Mitte des Körpers ausging. Zu sehen, wie er sprang und lief und mich über Hecken und Gräben verfolgte, war der schlimmste aller Alpträume. So zahlte ich mit diesen fürchterlichen Phantasien für mein monatliches Vierpencestück einen hohen Preis.

Aber so sehr mich der Gedanke an den seefahrenden Mann mit einem Bein in Schrecken versetzte, so hatte ich doch vor dem Kapitän selber weit weniger Angst als sonst jemand, der ihn kannte. Es gab Abende, an denen er ein gut Teil mehr Grog trank, als sein Kopf vertrug, und dann pflegte er dazusitzen und seine verrückten alten, wilden Seemannslieder zu singen, ohne auf irgend jemanden Rücksicht zu nehmen. Aber bisweilen bestellte er eine Runde für alle Anwesenden und zwang die ganze zitternde Gesellschaft, seinen Erzählungen zuzuhören oder seine Lieder im Chor zu begleiten. Oft habe ich das Haus unter dem »Johoo – und 'ne Buddel Rum« erdröhnen gehört, wenn alle Nachbarn, Todesangst im Gesicht, ums liebe Leben einstimmten und einer noch lauter sang als der andere, nur um nicht aufzufallen. Denn in diesen Augenblicken war er der unbeherrschteste Geselle, den man sich vorstellen kann. Er schlug mit der Faust auf den Tisch und kommandierte Ruhe in der Runde. Er gestattete auch niemandem, das Gasthaus zu verlassen, ehe er sich müde getrunken hatte und ins Bett taumelte.

Es waren seine Geschichten, vor denen sich die Leute am meisten ängstigten. Schreckliche Erzählungen waren das vom Hängen und Ertränken, von Stürmen auf See und von Tortuga* und von wilden Taten und Orten in Westindien. Nach seinen eigenen Worten hatte er sein Leben unter den verruchtesten Menschen zugebracht, denen Gott je gestattet hat, die See zu befahren; und die Sprache, in der er diese Geschichten zum besten gab, erschreckte unsere biederen Landbewohner fast ebensosehr wie die Verbrechen, die er schilderte. Mein Vater sagte immer, die Gastwirtschaft werde zugrunde gerichtet, denn die Leute würden es bald satt haben hierherzukommen, nur um sich tyrannisieren und den Mund verbieten und sich schließlich schaudernd ins Bett schicken zu lassen. Ich aber glaubte wirklich, seine Anwesenheit sei uns von Vorteil. Die Leute waren zwar im Augenblick erschreckt, aber wenn sie zurückdachten, mochten sie es ganz gern. Es war eine hübsche Aufregung in dem ruhigen Landleben.

In einer anderen Hinsicht schien er uns allerdings zu ruinieren, denn er blieb Woche um Woche und schließlich Monat um Monat in unserem Hause, so daß das ganze Geld schon längst erschöpft war, aber mein Vater nahm sich nicht das Herz, auf einer weiteren Zahlung zu bestehen. Jedesmal, wenn er das nur erwähnte, schnaubte der Kapitän so laut durch die Nase, daß man es ein Brüllen nennen konnte, und jagte meinen armen Vater mit wütenden Blicken aus dem Zimmer.

Nur einmal stieß er auf Widerspruch, und das war gegen das Ende zu, als mein armer Vater schon sehr an der Auszehrung litt, die ihn auch dahinraffte. Dr. Livesey kam an einem späten Nachmittag, um den Kranken zu besuchen, ließ sich von meiner

* Insel an der Westküste von Haiti, im 17. Jahrhundert Zufluchtsort der Flibustier und Bukanier (Anmerkung des Übersetzers).

Mutter eine kleine Stärkung vorsetzen und ging dann in die Gaststube, um eine Pfeife zu rauchen, bis sein Pferd aus dem Dorf geholt wurde, denn wir hatten in dem alten »Benbow« keinen Stall. Ich folgte ihm hinein, und ich entsinne mich, daß mir der Gegensatz auffiel zwischen dem sauber und gut gekleideten Arzt mit der schneeweiß gepuderten Perücke, seinen leuchtenden schwarzen Augen und dem angenehmen Auftreten und den derben Landleuten, vor allem aber dieser schmutzigen, plumpen, triefäugigen Vogelscheuche von einem Seeräuber, der in schon fortgeschrittenem Rumzustand, beide Arme auf dem Tisch, dasaß. Plötzlich begann er – nämlich der Kapitän – sein ewiges Lied anzustimmen:

> »Fünfzehn Mann auf des toten Manns Kist,
> Johoo – und 'ne Buddel Rum,
> Sauft, und der Teufel besorgt den Rest,
> Johoo – und 'ne Buddel Rum –«

An diesem Abend war es nur für Dr. Livesey neu, und auf ihn übte es, wie ich bemerkte, keine angenehme Wirkung aus, denn einen Augenblick schaute er ganz böse auf, ehe er in seinem Gespräch mit dem alten Gärtner Taylor über eine neue Rheumabehandlung fortfuhr. Inzwischen entzündete sich der Kapitän nach und nach an seiner eigenen Musik, und schließlich schlug er in einer Art und Weise mit der Faust auf den Tisch, die, wie wir alle wußten, »Ruhe!« heißen sollte. Augenblicklich verstummten alle Stimmen, nur Dr. Livesey sprach wie vorher laut und freundlich weiter und zog dabei nach ein paar Worten immer wieder an seiner Pfeife.

Eine Weile starrte der Kapitän ihn an, dann schlug er noch einmal mit der Faust auf den Tisch, stierte noch zorniger und brüllte schließlich mit einem hundsgemeinen Fluch: »Ruhe auf Deck da drüben!«

»Sprecht Ihr mit mir, Sir?« fragte der Arzt, und als der Rüpel das mit einem weiteren Fluch bejahte, erwiderte er: »Ich kann Euch nur das eine sagen, Sir, wenn Ihr weiter so Rum trinkt, wird die Welt bald von einem sehr schmutzigen Lumpen befreit sein.«

Die Wut des alten Kerls war fürchterlich. Er sprang auf, zog ein Seemannsmesser aus der Tasche und öffnete es, wog es in der Hand und drohte, den Arzt damit an die Wand zu spießen.

Der Arzt rührte sich nicht im geringsten. Wie vorher und in dem gleichen Ton sprach er über die Schulter mit ihm, nur etwas lauter, aber in aller Ruhe und Bestimmtheit, so daß jeder im Raum ihn verstand: »Wenn Ihr das Messer nicht sofort in die Tasche steckt, werdet Ihr, das verspreche ich Euch, bei der nächsten Gerichtsverhandlung gehängt werden.«

Dann wechselten sie eine Weile scharfe Blicke, aber bald gab der Kapitän nach, steckte seine Waffe ein und setzte sich knurrend wie ein geprügelter Hund auf seinen Platz.

»Und nun, Sir«, fuhr der Arzt fort, »nachdem ich weiß, daß sich ein solcher Bursche in meinem Bezirk aufhält, könnt Ihr damit rechnen, daß ich Tag und Nacht ein Auge auf Euch haben werde. Ich bin nicht nur Arzt, sondern auch Amtsperson, und kommt mir auch nur die geringste Beschwerde über Euch zu Ohren, und sei es auch nur über ein so schlechtes Benehmen wie heute, so werde ich wirksame Maßnahmen ergreifen, um Euch davonzujagen und hier auszumerzen. Laßt Euch das genügen.«

Bald darauf wurde Dr. Liveseys Pferd vorgeführt, und er ritt davon; aber an diesem und an vielen Abenden danach hielt der Kapitän Ruhe.

Der Schwarze Hund taucht auf und verschwindet wieder

Nicht sehr lange danach trug sich das erste jener geheimnisvollen Ereignisse zu, die uns schließlich von dem Kapitän, wenn auch nicht, wie man sehen wird, von seinen Angelegenheiten befreiten. Es herrschte ein bitterkalter Winter mit langen, harten Frösten und schweren Stürmen, und von Anfang an war es klar, daß mein armer Vater den Frühling kaum erleben würde. Er wurde täglich schwächer, und die ganze Gastwirtschaft lastete auf meiner Mutter und mir.

Es war an einem Januarmorgen in der Frühe, an einem schneidend kalten Tage. Der Kapitän war zeitiger aufgestanden als gewöhnlich und hatte sich zum Strand hinunter auf den Weg gemacht. Sein Entermesser baumelte unter den breiten Schößen seines alten blauen Rockes, das Messingfernrohr hatte er unter dem Arm und den Hut in den Nacken geschoben.

Mutter war noch oben bei Vater, und ich deckte den Frühstückstisch für des Kapitäns Rückkehr, als die Tür der Gaststube sich öffnete und ein Mann hereintrat, den ich nie zuvor gesehen hatte. Es war ein blasser, aufgeschwemmter Mensch, dem an der linken Hand zwei Finger fehlten, und obgleich er ein Entermesser trug, hatte er doch wenig von einem Krieger an sich. Ich hielt stets die Augen auf nach seefahrenden Männern, mit einem Bein oder mit zweien, und ich entsinne mich, daß dieser mich beunruhigte. Er sah nicht aus wie ein Seemann, aber irgendwie roch er nach Meer.

Ich fragte ihn, was er wünsche, und er antwortete, er nehme einen Rum. Als ich aber hinausging, um welchen zu holen, setzte er sich auf einen Tisch und winkte mir, näher zu treten. Die Serviette in der Hand, blieb ich stehen, wo ich war.

»Komm her, Söhnchen«, sagte er, »komm näher, hierher.«

Ich trat einen Schritt näher.

»Ist hier der Tisch für meinen Maat Bill gedeckt?« fragte er irgendwie lauernd.

Ich erwiderte ihm, ich kenne seinen Maat Bill nicht und dies sei für einen Gast bestimmt, der in unserem Hause wohne und den wir den Kapitän nennten.

»Schön«, entgegnete er, »meinen Maat Bill kann man Käpt'n nennen oder auch nicht. Er hat einen Hieb über eine Backe, und 'ne mächtig gemütliche Art, besonders beim Trinken, hat mein Maat Bill. Wir wollen also mal annehmen, gesetzt den Fall, dein Käpt'n hat einen Hieb auf der Backe – und nehmen wir weiter an, wenn's beliebt, auf der rechten Backe. Na also, sagt ich's dir nicht? Nun, ist mein Maat Bill hier im Hause?«

Ich sagte ihm, er sei ausgegangen.

»Welchen Weg, Söhnchen? Welchen Weg ist er gegangen?«

Und als ich ihm den Felsen gezeigt hatte und ihm sagte, von welcher Seite und wann der Kapitän vermutlich zurückkäme, und ein paar andere Fragen beantwortete, meinte er: »Ach, das wird meinem Maat Bill so guttun wie ein Trunk.«

Sein Gesichtsausdruck bei diesen Worten war alles andere als liebenswürdig. Aber ich dachte, das sei nicht meine Sache, und überdies war es schwierig, zu sagen, was man tun sollte. Der Fremde lungerte weiter in der Nähe der Wirtshaustür herum und spähte um die Ecke wie eine Katze, die auf eine Maus lauert. Einmal ging ich selbst hinaus auf die Straße, aber er rief mich sofort zurück, und als ich nach seiner Meinung nicht schnell genug gehorchte, ging eine schreckliche Veränderung in seinem aufgedunsenen Gesicht vor, und er kommandierte mich mit einem Fluch herein, der mir Beine machte. Sobald ich wieder drinnen war, kehrte er zu seiner früheren Art, halb höhnisch und halb schmeichelnd, zurück, klopfte mir auf die Schulter, sagte mir, ich sei ein guter Junge und er habe einen Narren an mir gefressen. »Ich habe selbst einen Sohn«, fuhr er fort, »er gleicht dir wie ein Ei dem anderen und ist mein ganzer Stolz. Aber die Hauptsache für Jungen ist Disziplin, Söhnchen, Disziplin. Aber da kommt ja wahrhaftig mein Maat Bill mit einem Fernrohr unter dem Arm, Gott segne die alte Haut, ganz gewiß. Wir beide, Söhnchen, wollen zurück in die Gaststube gehen und uns hinter die Tür stellen und Bill eine kleine Überraschung bereiten.«

Mit diesen Worten zog sich der Fremde mit mir in die Gaststube zurück, schob mich hinter sich in die Ecke, so daß wir beide durch die offene Tür verdeckt waren. Wie man sich vorstellen kann, fühlte ich mich sehr unbehaglich und erregt, und meine Angst steigerte sich noch mehr, als ich sah, daß der Fremde selbst zweifellos Furcht hatte. Er schob den Griff seines Entermessers zurecht und lockerte die Klinge in der Scheide.

Schließlich trat der Kapitän ein, schlug, ohne nach rechts oder links zu schauen, die Tür hinter sich zu und marschierte quer durch den Raum geradeswegs dahin, wo ihn sein Frühstück erwartete.

»Bill!« sagte der Fremde mit einer Stimme, in die er, wie mir schien, Mut und Energie zu legen suchte.

Der Kapitän drehte sich auf dem Absatz um und starrte uns an. Alle Bräune war aus seinem Gesicht gewichen, und sogar seine Nase wurde blau. Er glich einem Menschen, der einen Geist, den Gottseibeiuns oder, wenn es das gibt, noch etwas Schlimmeres erblickt, und auf mein Wort, es tat mir leid, ihn in einem Augenblick so alt und schwach werden zu sehen.

»Komm, Bill«, rief der Fremde, »du kennst mich doch, du kennst doch einen alten Schiffskameraden, Bill, gewiß doch!«

Der Kapitän schnappte nach Luft. »Schwarzer Hund!« sagte er.

»Wer denn sonst?« entgegnete der andere und gewann seine Fassung wieder. »Der Schwarze Hund, wie er immer war, kommt seinen alten Schiffskameraden Bill im Gasthof ›Zum Admiral Benbow‹ besuchen.«

»Na schön«, entgegnete der Kapitän, »du hast mich eingeholt, hier bin ich. Sag also, was du willst.«

»Das bist ganz du, Bill«, erwiderte der Schwarze Hund. »Damit hast du recht. Dieses liebe Kind wird mir ein Glas Rum bringen, und wenn es dir recht ist, wollen wir uns hinsetzen und ehrlich wie alte Schiffskameraden miteinander reden.«

Als ich mit dem Rum zurückkam, saßen sie bereits zu beiden Seiten vom Frühstückstisch des Kapitäns, der Schwarze Hund zunächst der Tür und so zur Seite gewandt, daß er ein Auge auf seinen alten Schiffskameraden und eins, wie mir schien, auf dessen Rückzugsweg gerichtet hatte.

Er befahl mir hinauszugehen und ließ die Tür weit offen. »Und bleib mir mit deinen Schlüssellöchern vom Hals, Söhnchen«, rief er. Ich ließ sie allein und zog mich in den Schankraum zurück.

Obgleich ich nach besten Kräften horchte, konnte ich lange Zeit nichts hören als ein leises Gemurmel, schließlich aber wurden die Stimmen lauter, und ich konnte ein paar Worte des Kapitäns, meist Verwünschungen, aufschnappen.

»Nein, nein, nein, nein, und jetzt Schluß damit!« schrie er einmal. »Wenn es zum Hängen kommt, hängen alle, sag ich.«

Dann erhob sich plötzlich ein furchtbares Getöse von Flüchen und anderen Geräuschen. Tisch und Stühle flogen krachend übereinander, Stahl klirrte, dann ertönte ein Schmerzensschrei, und im nächsten Augenblick sah ich den Schwarzen Hund in voller Flucht und den Kapitän dicht hinter ihm, beide mit gezogenem Entermesser, und dem ersteren strömte das Blut von der linken Schulter. Gerade unter der Tür führte der Kapitän noch einen letzten furchtbaren Hieb nach dem Flüchtigen, der ihm sicher das Rückgrat zerschmettert hätte, wäre er nicht von dem großen Wirtshausschild unseres »Admiral Benbow« aufgefangen worden. Bis auf den heutigen Tag ist an der Unterseite des Rahmens die Kerbe zu sehen.

Mit diesem Schlag war der Kampf zu Ende. Einmal draußen auf der Straße, zeigte der Schwarze Hund trotz seiner Verwundung mit wunderbarer Schnelligkeit seine Fersen und verschwand in einer halben Minute über den Kamm des Hügels. Der Kapitän seinerseits stand verdutzt da und starrte auf das Wirtshausschild. Dann fuhr er sich mehrmals mit der Hand über die Augen und kehrte schließlich ins Haus zurück.

»Jim«, sagte er, »Rum«, und bei diesen Worten schwankte er ein wenig und stützte sich mit der Hand gegen die Mauer.

»Seid Ihr verwundet?« rief ich.

»Rum«, wiederholte er. »Ich muß weg von hier. Rum! Rum!«

Ich lief, welchen zu holen, aber all das, was geschehen war, hatte mich so aus der Fassung gebracht, daß ich ein Glas zerbrach und den Spund nicht aufbrachte, und während ich mich so auf meine Weise bemühte, hörte ich in der Gaststube einen lauten Fall. Als ich hineinlief, sah ich den Kapitän in voller Länge auf dem Fußboden liegen. In demselben Augenblick kam, durch das Geschrei und den Kampf alarmiert, meine Mutter die Treppe herabgelaufen, um mir zu helfen. Gemeinsam richteten wir seinen Kopf hoch. Er atmete laut und schwer, aber seine Augen waren geschlossen und sein Gesicht schrecklich verfärbt.

»O mein Gott, o mein Gott!« rief meine Mutter. »Welch eine Schande für das Haus, und dein armer Vater ist krank!«

Ich nahm den Rum und versuchte, ihm etwas davon in den Schlund zu gießen. Aber seine Zähne waren fest geschlossen und seine Kinnbacken hart wie Eisen. Wir waren glücklich und erleichtert, als sich die Tür öffnete und Dr. Livesey hereintrat, um meinen Vater zu besuchen.

»Ach, Herr Doktor«, riefen wir, »was sollen wir tun? Wo ist er verwundet?«

»Verwundet? Unsinn!« sagte der Arzt. »Nicht mehr verwundet als ihr oder ich. Der Mann hat einen Schlaganfall, wie ich ihm prophezeit habe. Jetzt, Mrs. Hawkins, geht Ihr sofort hinauf zu Eurem Mann und sagt ihm möglichst nichts davon. Ich für meinen Teil muß mein Bestes tun, diesem Kerl sein dreifach unnützes Leben zu retten, und Jim hier wird mir ein Becken bringen.«

Als ich mit dem Becken zurückkam, hatte der Arzt dem Kapitän bereits den Ärmel aufgerissen und seinen starken sehnigen Arm entblößt. Er war an mehreren Stellen tätowiert. »Viel Glück!«, »Guten Wind!« und »Billy Bones' Traum!« waren sauber und deutlich auf seinem Unterarm angebracht, und oben, dicht an der Schulter, befand sich die Abbildung eines Galgens und eines Mannes, der daran baumelte – mit viel Talent ausgeführt, wie mir schien.

»Prophetisch!« bemerkte der Arzt und tippte mit dem Finger auf das Bild. »Und jetzt, Meister Billy Bones, wenn das Euer Name ist, wollen wir uns einmal die Farbe Eures Blutes anschauen. – Hast du Angst vor Blut, Jim?« fragte er mich.

»Nein, Sir«, entgegnete ich.

»Schön, dann halte das Becken«, und damit nahm er eine Lanzette und öffnete eine Ader.

Eine Menge Blut wurde abgelassen, ehe der Kapitän die Augen aufschlug und verwirrt um sich blickte. Zuerst erkannte er mit unmißverständlichem Stirnrunzeln den Arzt, dann fiel sein Blick auf mich, und er schien erleichtert. Aber plötzlich wechselte er die Farbe und versuchte aufzustehen.

»Wo ist der Schwarze Hund?« rief er.

»Hier ist kein schwarzer Hund, abgesehen von dem, den Ihr auf Eurem eigenen Buckel habt«, erwiderte der Arzt. »Ihr habt Rum getrunken und einen Schlaganfall bekommen, genau wie ich Euch vorausgesagt habe, und gerade habe ich Euch, sehr gegen meinen eigenen Willen, mit dem Kopf voran aus dem Grabe gezogen. Und jetzt, Mr. Bones –«

»So heiße ich nicht«, unterbrach ihn dieser.

»Das interessiert mich nicht«, erwiderte der Arzt. »So heißt ein Bukanier aus meiner Bekanntschaft, und der Einfachheit halber nenne ich Euch so. Was ich Euch zu sagen habe, ist folgendes:

Ein Glas Rum bringt Euch nicht um. Aber wenn Ihr eins nehmt, wollt Ihr noch eins und wieder eins, und ich wette meine Perücke, wenn Ihr nicht kurzerhand Schluß damit macht, werdet Ihr draufgehen – versteht Ihr das? –, draufgehen und an den Ort kommen, der Euch gebührt, wie der Mann in der Bibel. Kommt jetzt, strengt Euch mal an. Ich helfe Euch erst einmal in Euer Bett.«

Mit vieler Mühe gelang es uns, ihn zwischen uns die Treppe hinaufzubringen. Wir legten ihn auf sein Bett, wo sein Kopf auf das Kissen zurückfiel, als wäre er fast ohnmächtig.

»Also merkt es Euch«, sagte der Arzt, »ich lehne die Verantwortung ab. Schon das Wort Rum ist Euer Tod.«

Damit ging er hinaus, um nach meinem Vater zu sehen, und zog mich am Arm mit sich.

»Nichts von Bedeutung«, sagte er, sobald er die Tür geschlossen hatte. »Ich habe ihm genug Blut abgezapft, um ihn für eine Weile ruhig zu halten. Eine Woche lang sollte er da liegen, wo er ist – das ist das beste für ihn und für euch. Aber ein neuer Schlaganfall wäre sein Ende.«

Der Schwarze Fleck

Gegen Mittag ging ich mit einigen kühlenden Getränken und Arzneien zu des Kapitäns Tür. Er lag noch so da, wie wir ihn verlassen hatten, nur ein wenig höher, und schien zugleich schwach und erregt.

»Jim«, sagte er, »du bist der einzige hier, der etwas taugt, und du weißt, ich bin immer gut zu dir gewesen. Jim, du bringst mir doch eine Viertelpinte Rum. Tust du das, Junge?«

»Der Doktor –« begann ich.

Aber er unterbrach mich und fluchte auf den Doktor, mit schwacher Stimme zwar, aber aus Herzensgrund. »Doktors sind alle Waschlappen«, sagte er, »und dieser Doktor hier, na, was weiß der schon von seefahrenden Leuten? Ich habe von Rum gelebt, sage ich dir. Er war mir alles, Essen und Trinken, Mann und Weib, und wenn ich jetzt meinen Rum nicht mehr haben soll, bin ich wie ein armes altes Wrack an einer Leeküste. Mein Blut kommt über dich, Jim, und über diesen Waschlappen von einem Doktor«, und dann fluchte er eine Weile vor sich hin. »Schau, Jim, wie meine Finger zittern«, fuhr er in dem bettelnden Ton fort. »Ich kann sie nicht still halten. Der Doktor ist ein Narr, sag ich dir. Wenn ich nicht einen Schluck Rum bekomme, sehe ich Schreckgespenster. Ich habe schon welche gesehen. Den alten Flint habe ich dort in der Ecke gesehen, dort hinter dir, so deutlich wie gedruckt hab ich ihn gesehen; und wenn ich Gespenster sehe, dann mache ich Krach. Dein Doktor hat selbst gesagt, ein Glas schadet mir nichts. Eine goldene Guinee gebe ich dir, Jim, für eine Viertelpint.«

Er geriet immer mehr in Erregung, und das machte mir Sorge wegen meines Vaters, der sich an diesem Tage sehr elend fühlte.

»Ich brauche kein Geld von Euch«, sagte ich, »nur das, was Ihr meinem Vater schuldet. Ich werde Euch ein Glas geben und nicht mehr.«

Als ich es ihm brachte, griff er gierig danach und trank es aus.

»Ah, ja«, sagte er, »das ist schon etwas besser, ganz gewiß. Und nun, Freundchen, hat der Doktor gesagt, wie lange ich hier in dieser alten Koje liegen muß?«

»Wenigstens eine Woche«, erwiderte ich.

»Donnerwetter«, rief er, »eine Woche! Das kann ich nicht. Bis dahin bringen sie mir den Schwarzen Fleck. In diesem verfluchten Augenblick ist das Gesindel dabei, mir den Wind abzugewinnen, Gesindel, das nicht halten kann, was es hat, und noch klauen will, was anderen gehört.«

Während er so sprach, hatte er sich mit großer Mühe vom Bett erhoben. Mit einem Griff, der mich fast aufschreien ließ, hielt er sich an meiner Schulter und bewegte seine Beine wie eine leblose Masse. Seine Worte, so mutig sie gemeint waren, standen im traurigen Gegensatz zu der schwachen Stimme, mit der sie vorgebracht wurden. Als er sich auf die Bettkante gesetzt hatte, hielt er einen Augenblick inne.

»Dieser Doktor hat mich fertiggemacht«, murmelte er. »Es braust mir in den Ohren. Leg mich wieder hin.«

Ehe ich viel tun konnte, um ihm zu helfen, war er auf seinen alten Platz zurückgesunken, wo er eine Weile still liegenblieb.

»Jim«, sagte er schließlich, »du hast doch heute diesen seefahrenden Mann gesehen?«

»Den Schwarzen Hund?« fragte ich.

»Ach ja, der Schwarze Hund«, wiederholte er. »Das ist ein schlechter Kerl. Aber noch schlechter sind die, die ihn anstiften. Aber wenn ich überhaupt nicht mehr wegkomme und sie mir den Schwarzen Fleck schicken, verstehst du, so ist es nur meine alte Seekiste, auf die sie es abgesehen haben. Du nimmst dir ein Pferd und reitest zu – gut, ja, ich tu's – zu diesem verdammten Waschlappen von einem Doktor und sagst ihm, er soll alle Mann zusammentrommeln – Beamte und dergleichen – und sie hier an Bord des ›Admiral Benbow‹ legen – und dann alle auf die ganze Mannschaft von Old Flint, Mann und Junge, auf alles, was übriggeblieben ist. Ich war erster Maat, ich war – Old Flints erster Maat, und ich bin der einzige, der den Platz kennt. Er gab es mir in Savannah, als er auf den Tod lag, so wie ich jetzt, verstehst du. Aber du darfst nichts verraten, ehe sie mir den Schwarzen Fleck zugestellt haben oder ehe du den Schwarzen Hund wiedergesehen hast oder einen Seemann mit einem Bein – den vor allem, Jim.«

»Aber was ist denn der Schwarze Fleck, Käpt'n?« fragte ich.

»Das ist eine Vorladung, Freund. Ich werde dir Bescheid sagen, wenn sie es tun. Aber halt die Augen auf, Jim, und ich mache mit dir halbpart, bei meiner Ehre.«

Eine Weile faselte er noch weiter, und seine Stimme wurde immer schwächer, aber bald nachdem ich ihm seine Arznei gegeben hatte, die er mit der Bemerkung: »Wenn je ein Seemann Medizin gebraucht hat, so bin ich es« wie ein Kind einnahm, fiel er in einen tiefen, ohnmachtähnlichen Schlaf, bei dem ich ihn verließ. Was ich hätte tun müssen, damit alles gut ablief, weiß ich nicht. Wahrscheinlich hätte ich die ganze Geschichte dem Arzt erzählen sollen, denn ich hatte Todesangst, der Kapitän könne sein Bekenntnis bereuen und mich umbringen. Aber wie dem nun auch war, mein armer Vater starb an diesem Abend ganz plötzlich, und darüber trat alles andere in den Hintergrund.

Am nächsten Morgen kam der Kapitän tatsächlich herab, nahm wie gewöhnlich seine Mahlzeiten ein, aß aber wenig und trank, wie ich fürchte, mehr als sein gewohntes Quantum Rum, denn er bediente sich selbst im Schankraum. Am Abend vor der Beerdigung war er so betrunken wie nur je zuvor, und es war unerhört, ihn in diesem Trauerhause in einem fort sein greuliches altes Seemannslied singen zu hören. Er war sehr schwach, und statt seine Kräfte wiederzugewinnen, schien er nur immer schwächer zu werden. Er kletterte treppauf und treppab, ging aus der Gaststube in den Schankraum und wieder zurück und steckte bisweilen seine Nase aus der Tür, um Seeluft zu schnuppern. Dabei stützte er sich gegen die Wand und atmete tief und schnell wie ein Mann, der einen steilen Berg besteigt.

So lagen die Dinge bis zum Tage nach dem Begräbnis, als ich an dem bitterkalten, nebligen Nachmittag etwa um drei Uhr in traurigen Gedanken an meinen Vater einen Augenblick vor der Tür stand. Da sah ich jemanden langsam die Straße entlangkommen. Er war offenbar blind, denn er tastete mit einem Stock vor sich her und trug einen großen grünen Schirm über Augen und Nase. Er ging gebeugt, wie von Alter oder Schwäche, und war in einen weiten, alten, zerschlissenen Seemannsmantel mit einer Kapuze gehüllt, in dem er ausgesprochen unförmig aussah. Niemals in meinem Leben habe ich eine abstoßendere Gestalt gesehen. Kurz vor dem Gasthof blieb er stehen, und indem er seine Stimme zu einem seltsamen Singsang erhob, rief er vor sich hin in die Luft hinein: »Möchte irgendein freundlicher Mensch einem armen blinden Mann, der sein kostbares Augenlicht bei der tapferen Verteidigung seiner englischen Heimat – Gott segne König Georg! – verloren hat, sagen, wo und in welcher Gegend seines Vaterlandes er sich jetzt befindet?«

»Ihr seid beim ›Admiral Benbow‹ in der Black-Hill-Bucht, guter Mann«, sagte ich.

»Ich höre eine Stimme«, fuhr er fort, »eine junge Stimme. Wollt Ihr mir Eure Hand geben, mein lieber junger Freund, und mich hineinführen?«

Ich streckte meine Hand aus, und der furchtbare, augenlose Mensch mit seiner sanften Sprache ergriff sie im Augenblick wie ein Schraubstock. Ich war so erschrocken, daß ich mit aller Kraft zu entkommen suchte, aber mit einer einzigen Bewegung seines Armes zog der Blinde mich dicht an sich heran.

»So, mein Junge«, sagte er, »jetzt bring mich zum Kapitän.«

»Sir«, entgegnete ich, »auf mein Wort, das wage ich nicht.«

»Ach«, grinste er, »so ist das! Sofort führst du mich hinein, oder ich breche dir den Arm!« Und mit diesen Worten drehte er mir den Arm um, daß ich aufschrie.

»Sir«, rief ich, »ich glaube, es ist besser für Euch. Der Kapitän ist nicht mehr so, wie er früher war. Er sitzt da mit gezogenem Entermesser. Ein anderer Herr –«

»Los jetzt, marsch!« unterbrach er mich, und nie habe ich eine so grausame, kalte und häßliche Stimme gehört, wie die jenes Blinden. Sie schüchterte mich mehr ein als der Schmerz, und ich gehorchte ihm sofort. Ich ging geradeswegs zur Tür hinein und in die Gaststube, wo unser alter kranker Bukanier, vom Rum berauscht, saß. Der Blinde hielt sich dicht an mich, faßte mich mit eiserner Faust und lehnte sich mit seinem Gewicht fast schwerer auf mich, als ich ertragen konnte. »Führe mich direkt zu ihm, und wenn ich vor ihm stehe, dann rufst du: ›Hier ist ein Freund von Euch, Bill!‹ Tust du es nicht, dann blüht dir das«, und damit kniff er mich, daß ich glaubte, ohnmächtig zu werden. Durch dies alles hatte ich vor dem blinden Bettler eine solche Angst, daß ich meine Furcht vor dem Kapitän vergaß, und als ich die Tür der Gaststube öffnete, rief ich mit zitternder Stimme die Worte, die er mir aufgetragen hatte.

Der arme Kapitän hob die Augen, und bei diesem einen Blick verflog der Rum in ihm, und er wurde stocknüchtern. Der Ausdruck seines Gesichtes war nicht so sehr der des Erschreckens wie der einer tödlichen Krankheit. Er machte eine Bewegung, um sich zu erheben, aber ich glaube nicht, daß ihm dazu noch genug Kraft geblieben war.

»Bleib nur sitzen, Bill, wo du bist«, sagte der Bettler. »Wenn ich auch nicht sehen kann, so kann ich doch eine Fliege husten hören. Geschäft ist Geschäft. Streck deine linke Hand aus. Junge, nimm seine linke Hand beim Gelenk und bring sie näher an meine Rechte.«

Wir beide folgten ihm aufs Wort, und ich sah, wie er etwas aus der hohlen Hand, die den Stock hielt, in die Handfläche des Kapitäns legte, die dieser sofort darüber schloß.

»Das wäre erledigt«, sagte der Blinde, und bei diesen Worten ließ er mich plötzlich los und schlüpfte mit einer unglaublichen Sicherheit und Gewandtheit aus der Gaststube hinaus auf die Straße, wo ich, während ich noch bewegungslos dastand, seinen Stock tap-tap-tap in der Ferne gehen hören konnte.

Es verging noch eine Weile, ehe ich oder der Kapitän wieder Herr unserer Sinne wurden. Aber schließlich ließ ich sein Handgelenk los, das ich noch immer festhielt, und im selben Augenblick zog er seine Hand zurück und blickte scharf in die Innenfläche.

»Zehn Uhr!« rief er. »Sechs Stunden! Die wollen wir noch nützen!« und damit sprang er auf seine Füße.

In diesem Augenblick taumelte er, fuhr sich mit der Hand an die Kehle, stand einen Augenblick schwankend da und fiel dann mit einem eigentümlichen Laut in seiner ganzen Länge auf sein Gesicht zu Boden.

Ich lief sofort zu ihm hin und rief nach meiner Mutter, aber alle Eile war vergebens. Ein Schlaganfall hatte seinem Leben ein Ende gesetzt.

Die Seekiste

Ich verlor natürlich keine Zeit, meiner Mutter alles zu erzählen, was ich wußte, und hätte es ihr vielleicht schon lange erzählen sollen, denn plötzlich sahen wir uns in einer schwierigen und gefährlichen Lage. Ein Teil von dem Gelde des Mannes – wenn er welches hatte – stand sicherlich uns zu, aber es war unwahrscheinlich, daß die Schiffskameraden unseres Kapitäns und vor allem die beiden mir bekannten Vertreter, der Schwarze Hund und der blinde Bettler, geneigt waren, ihre Beute aufzugeben, um des Toten Schulden zu bezahlen. Dem Befehl des Kapitäns folgen und sofort zu Pferde steigen, um zu Dr.

Livesey zu reiten, das hätte bedeutet, meine Mutter allein und schutzlos zurückzulassen, und daran war nicht zu denken. Nach Lage der Dinge schien es uns beiden unmöglich, noch länger im Hause zu bleiben. Das Fallen der Kohlen durch den Küchenrost, sogar das Ticken der Uhr erschreckte uns. Rings um uns glaubten wir gespenstisch sich nähernde Schritte zu hören, und wenn ich an den Leichnam des Kapitäns auf dem Fußboden der Gaststube und an den abscheulichen blinden Bettler dachte, der sich ganz in der Nähe herumtrieb und jederzeit zurückkehren konnte, so standen mir, wie man so sagt, vor Angst die Haare zu Berge. Zu irgendeinem Entschluß mußten wir uns rasch durchringen, und so kam uns der Gedanke, zusammen wegzugehen und im benachbarten Dorf Hilfe zu suchen. Gesagt, getan. Barhäuptig, wie wir waren, liefen wir augenblicklich hinaus in den dämmernden Abend und den kalten Nebel.

Das Dorf lag nur wenige hundert Schritte entfernt, wenn auch außer Sicht an der anderen Seite der nächsten Bucht, und was mich besonders ermutigte, in entgegengesetzter Richtung von der, aus welcher der Blinde aufgetaucht und wohin er vermutlich zurückgekehrt war. Wir waren nur wenige Minuten unterwegs, obgleich wir mehrmals stehenblieben und einander festhielten, um zu horchen. Aber kein ungewöhnlicher Laut war zu hören.

Die Kerzen waren bereits angezündet, als wir das Dorf erreichten, und ich werde niemals vergessen, wie erfreut ich war, den gelben Schein in Türen und Fenstern zu sehen, aber das war, wie sich herausstellte, auch fast alles an Hilfe, was wir hier zu erwarten hatten. Man hätte annehmen sollen, die Männer hätten sich vor sich selbst geschämt, aber keine Seele wollte sich bereit finden, mit uns in den »Admiral Benbow« zurückzukehren. Je mehr wir von unseren Sorgen erzählten, desto mehr klammerten sie sich – Mann, Weib und Kind – an den Schutz ihrer Häuser. Der Name des Kapitäns Flint war, wenn auch mir selbst fremd, einigen von ihnen wohlbekannt und verursachte einen beträchtlichen Schrecken. Mehrere von den Männern, die jenseits vom »Admiral Benbow« bei der Feldarbeit gewesen waren, hatten außerdem, wie sie sich entsannen, ein paar

Fremde auf der Landstraße gesehen und sich aus dem Staube gemacht, da sie ihnen wie Schmuggler vorgekommen waren. Kurz und gut, während wir einige Leute dazu bewegen konnten, zu Dr. Livesey zu reiten, der in einer anderen Richtung wohnte, wollte keiner uns helfen, den Gasthof zu verteidigen.

Man sagt, Feigheit sei ansteckend, aber andererseits macht ein Disput sehr mutig, und als jeder so das Seinige gesagt hatte, hielt meine Mutter ihnen eine Rede. Sie erklärte, sie wollte kein Geld verlieren, das ihrem vaterlosen Jungen gehöre. »Wenn von euch keiner den Mut hat, so werden Jim und ich es wagen. Zurückgehen werden wir den Weg, den wir gekommen sind, und ihr großen, schwerfälligen, hasenherzigen Männer habt wenig Dank verdient. Wir werden die Kiste öffnen, und wenn wir dabei sterben sollen. Und Euch, Mrs. Crossley, danke ich für den Beutel, in den wir unser rechtmäßiges Geld einpacken werden.«

Natürlich sagte ich, daß ich mit meiner Mutter gehen werde, und natürlich schrien alle auf über unsere Tollkühnheit. Aber selbst dann wollte niemand mitkommen. Alles was sie taten, war, mir eine geladene Pistole zu geben für den Fall, daß wir angegriffen würden, und zu versprechen, gesattelte Pferde bereit zu halten, falls wir auf unserem Rückweg verfolgt würden. Währenddessen sollte ein Junge zum Arzt reiten und bewaffnete Hilfe herbeiholen.

Mein Herz schlug heftig, als wir beide uns in der kalten Nacht zu diesem gefährlichen Abenteuer auf den Weg machten. Der Vollmond ging gerade auf und lugte rot durch den oberen Rand des Nebels. Das trieb uns zu größerer Eile an, denn offensichtlich würde es taghell sein, ehe wir wieder ins Freie kämen, und jeder Späher konnte unser Weggehen beobachten. Schnell und geräuschlos schlüpften wir an den Hecken entlang. Wir sahen und hörten nichts, was unsere Angst hätte steigern können, bis wir zu unserer größten Erleichterung die Tür des »Admiral Benbow« hinter uns geschlossen hatten.

Sofort schob ich den Riegel vor, und einen Augenblick standen wir keuchend im Dunkeln, allein im Hause mit dem Leichnam des Kapitäns. Dann holte meine Mutter eine Kerze aus dem Schankraum, und indem wir einander an der Hand hielten, gingen wir in die Gaststube. So wie wir ihn verlassen hatten, lag er mit offenen Augen auf dem Rücken.

»Zieh die Rolläden herunter, Jim«, flüsterte meine Mutter, »sie könnten kommen und uns von draußen beobachten. Und nun«, fuhr sie fort, als ich das getan hatte, »müssen wir ihm den Schlüssel abnehmen. Wer soll ihn nur anrühren, möchte ich wissen!« und bei diesen Worten stieß sie einen Laut aus, der wie ein Schluchzen klang.

Sofort kniete ich nieder. Auf dem Fußboden dicht neben seiner Hand lag ein kleines rundes, auf der einen Seite geschwärztes Stück Papier. Kein Zweifel, das war der Schwarze Fleck. Als ich es aufhob, fand ich auf der anderen Seite in guter, deutlicher Schrift die kurze Botschaft: »Bis um zehn Uhr heute abend hast du Zeit!«

»Bis zehn hatte er Zeit, Mutter«, und gerade, als ich es ausgesprochen hatte, begann unsere alte Uhr zu schlagen. Dieses plötzliche Geräusch erschreckte uns ungeheuerlich. Aber die Botschaft war gut. Es schlug erst sechs.

»Jetzt den Schlüssel, Jim«, sagte sie.

Eine nach der anderen durchsuchte ich seine Taschen.

»Vielleicht hat er ihn um den Hals«, meinte meine Mutter.

Ich überwand einen starken Widerwillen und öffnete sein Hemd am Hals, und da fanden wir richtig den Schlüssel an einem geteerten Bindfaden, den ich mit seinem eigenen Messer durchschnitt.

Dieser Triumph erfüllte uns mit neuer Hoffnung, und ohne zu zögern, eilten wir nach oben in die kleine Kammer, wo die Kiste seit dem Tage seiner Ankunft stand.

Äußerlich sah sie wie jede andere Seemannskiste aus. Auf dem Deckel war mit einem heißen Eisen der Buchstabe B eingebrannt, und die Ecken waren vom langen, rauhen Gebrauch etwas abgestoßen und beschädigt.

»Gib mir den Schlüssel«, sagte meine Mutter, und obgleich das Schloß sehr sperrig war, hatte sie es im Handumdrehen geöffnet und den Deckel zurückgeschlagen.

Aus dem Inneren drang ein starker Geruch von Tabak und Teer, aber obenauf war nichts zu sehen als ein Anzug aus gutem

Tuch, sorgfältig gebürstet und gefaltet. Er sei noch nicht getragen, meinte meine Mutter. Darunter begann das Durcheinander: ein Quadrant*, ein Zinnkännchen, mehrere Pakete Tabak, zwei Paar sehr hübsche Pistolen, ein Stück gediegenes Silber, eine alte spanische Uhr und einige Schmuckstücke von geringem Wert und meist fremdländischer Herkunft, ein paar Kompasse in Messinggehäusen und fünf oder sechs seltsame westindische Muscheln.

Bis dahin hatten wir außer dem Silber und den Schmuckstücken nichts gefunden, was einigermaßen wertvoll war, und nichts davon nützte uns etwas. Zuunterst lag ein alter, vom Seesalz mancher felsigen Hafeneinfahrt gebleichter Bootsmantel. Ungeduldig zog meine Mutter ihn heraus, und dann lagen die letzten Sachen in der Kiste vor uns: ein in Wachstuch eingeschlagenes Päckchen, das nach Papieren aussah, und ein Segeltuchbeutel, der beim Anfassen den Klang von Gold vernehmen ließ.

»Ich will diesen Halunken zeigen, daß ich eine ehrliche Frau bin«, sagte meine Mutter. »Ich will meine Außenstände haben und keinen Heller mehr. Halt Mrs. Crossleys Beutel auf.« Und sie begann, die Zeche des Kapitäns aus dem Beutel des Seemanns in den anderen, den ich hielt, hinüberzuzählen.

Es war ein langes, schwieriges Geschäft, denn die Münzen stammten aus den verschiedensten Ländern und waren von jeder Größe: Dublonen, Louisdore, Guineen, Piaster und ich weiß nicht, was sonst noch, alles durcheinander, wie es der Zufall wollte. Außerdem waren die Guineen am seltensten, und nur damit verstand meine Mutter zu rechnen.

Als wir etwa zur Hälfte fertig waren, legte ich plötzlich meiner Mutter die Hand auf den Arm, denn ich hatte in der stillen, kalten Luft ein Geräusch gehört, das mir das Herz im Halse schlagen ließ, das Tap-tap vom Stock des Blinden auf der hartgefrorenen Straße. Es kam näher und näher, während wir dasaßen und den Atem anhielten. Dann klopfte es laut an die Wirtshaustür, und dann hörten wir, wie die Klinke niederge-

* Altes astronomisches Instrument zur Messung der Gestirnshöhe über dem Horizont.

drückt wurde und der Riegel klirrte, als der Bösewicht einzutreten versuchte. Eine ganze Weile herrschte draußen und drinnen Stille. Schließlich begann das Tappen wieder und verhallte zu unserer unbeschreiblichen Freude und Dankbarkeit langsam, bis es nicht mehr zu hören war.

»Mutter«, sagte ich, »nimm das Ganze und laß uns gehen«, denn ich war überzeugt, die verriegelte Tür hatte Verdacht erregt und mußte uns das ganze Hornissennest auf den Hals bringen.

Meine Mutter indes wollte, so erschrocken sie war, sich nicht bereit finden, auch nur einen Bruchteil mehr zu nehmen, als ihr zustand, wollte sich hartnäckig aber auch nicht mit weniger begnügen. Es sei noch lange nicht sieben, meinte sie. Sie wisse, was ihr zustehe, und wolle es haben, und sie stritt noch lange mit mir, als in einiger Entfernung auf dem Hügel ein leiser Pfiff ertönte. Das war für uns beide genug und mehr als genug.

»Ich nehme, was ich habe«, sagte sie und sprang auf.

»Und ich nehme das, um die Rechnung abzurunden«, rief ich und ergriff das Wachstuchpäckchen. Im nächsten Augenblick tasteten wir beide uns die Treppe hinab und ließen die Kerze bei der leeren Kiste stehen. Gleich darauf hatten wir die Tür geöffnet und befanden uns in vollem Rückzuge. Wir waren keinen Augenblick zu früh aufgebrochen. Der Nebel löste sich bereits schnell auf, und schon schien der Mond zu beiden Seiten auf die Anhöhen. Nur über dem Boden der Mulde und rings um die Tür der Gastwirtschaft hing noch unversehrt ein dünner Schleier, der die ersten Schritte unserer Flucht verbarg. Viel früher als auf dem halben Wege zum Dorf, nur wenig über dem Fuß des Hügels, mußten wir in das volle Mondlicht hinaus. Aber das war noch nicht alles, denn das Geräusch von eiligen Schritten drang bereits an unser Ohr, und als wir in diese Richtung zurückblickten, zeigte ein hin und her schwankendes und schnell sich näherndes Licht, daß einer der Ankommenden eine Laterne trug.

»Liebling«, sagte meine Mutter plötzlich, »nimm das Geld und lauf. Mich verläßt meine Kraft.«

Das ist sicher unser Ende, dachte ich. Wie verfluchte ich die Feigheit der Nachbarn, wie tadelte ich meine arme Mutter wegen ihrer Ehrlichkeit und ihrer Geldgier, wegen ihrer früheren Tollkühnheit und ihrer jetzigen Schwäche. Glücklicherweise befanden wir uns gerade bei der kleinen Brücke, und ich half ihr, wenn sie auch taumelte, auf den Rand der Böschung, wo sie einen Seufzer ausstieß und auf meine Schulter sank. Ich weiß nicht, wie ich die Kraft fand, das alles zu bewältigen, und ich fürchte, ich habe sie etwas rauh angefaßt; aber es gelang mir, sie die Böschung hinab und etwas unter den Brückenbogen zu ziehen. Weiter konnte ich sie nicht bringen, denn die Brücke war zu niedrig, und ich konnte gerade darunterkriechen. So mußten wir ausharren – meine Mutter fast ganz im Freien und wir beide in Hörweite des Gasthofes.

Das Ende des Blinden

In gewisser Beziehung war meine Neugierde noch größer als meine Angst. Ich brachte es nicht fertig, zu bleiben, wo ich war, sondern kroch wieder auf die Böschung zurück, von wo ich, meinen Kopf hinter einem Ginsterbusch versteckt, die Straße vor unserer Tür überschauen konnte. Kaum hatte ich meine Stellung eingenommen, als meine Feinde, sieben bis acht Mann, in eiligem Lauf herankamen. Ihre Füße trappelten ungleichmäßig die Straße entlang; der Mann mit der Laterne war einige Schritte voraus. Drei Mann liefen Hand in Hand, und sogar durch den Nebel konnte ich erkennen, daß der mittlere dieses Trios der blinde Bettler war. Im nächsten Augenblick bewies mir seine Stimme, daß ich recht hatte.

»Herunter mit der Tür!« schrie er.

»Ay, ay, Sir«, antworteten zwei oder drei und rannten auf den »Admiral Benbow« zu, der Laternenträger zum Schluß. Dann sah ich, wie sie stehenblieben und leise miteinander redeten, als wären sie überrascht, die Tür offen zu finden. Aber die Pause war nur kurz, denn der Blinde gab wieder seine Kommandos. Seine Stimme klang lauter und höher, als wenn er vor Eifer und Wut in Hitze geraten wäre.

»Hinein, hinein, hinein!« schrie er und fluchte über ihr Zögern.

Vier oder fünf gehorchten sofort, und zwei blieben bei dem furchtbaren Bettler auf der Straße. Es entstand eine Pause, dann erscholl ein Schrei der Überraschung, und eine Stimme rief aus dem Hause: »Bill ist tot!«

Aber der Blinde fluchte aufs neue über ihr Zaudern. »Durchsucht ihn, ein paar von euch faulen Lumpen, und die übrigen hinauf, und holt die Kiste!« brüllte er.

Ich konnte hören, wie ihre Füße unsere alte Treppe hinaufpolterten, so daß das ganze Haus davon erzittert haben muß. Bald darauf ertönten neue Laute der Überraschung. Mit einem Krach und dem Klirren zerbrochener Glasscheiben wurde das Kammerfenster des Kapitäns aufgestoßen, ein Mann beugte sich mit Kopf und Schultern hinaus ins Mondlicht und wandte sich an den blinden Bettler unten auf der Straße.

»Pew«, schrie er, »sie sind uns zuvorgekommen. Irgendwer hat die Kiste von oben bis unten durchsucht.«

»Ist es da?« kreischte Pew.

»Das Geld ist da.«

Der Blinde verfluchte das Geld.

»Flints Handzeichnung meine ich!« schrie er.

»Wir können sie absolut nicht finden«, erwiderte der Mann.

»Hallo, ihr hier unten, ist sie bei Bill?« rief der Blinde wieder.

Daraufhin kam ein anderer Kerl, wahrscheinlich derjenige, der unten geblieben war, um die Leiche des Kapitäns zu untersuchen, an die Tür des Wirtshauses. »Bill ist schon durchsucht«, sagte er, »nichts mehr da.«

»Das sind die Leute aus der Kneipe – das ist der Junge. Ich wünschte, ich hätte ihm die Augen ausgekratzt!« schrie der blinde Pew. »Vor kurzem waren sie noch hier – sie hatten die Tür verriegelt, als ich sie öffnen wollte. Schwärmt aus, Jungens, und sucht sie.«

»Ganz bestimmt, sie haben ja ihre Funzel hiergelassen«, antwortete der Kerl am Fenster.

»Verteilt euch und sucht sie. Durchstöbert das Haus«, wiederholte Pew und stieß mit seinem Stock auf den Boden.

Dann gab es ein großes Rumoren in unserem alten Gasthaus, schwere Tritte gingen hin und her, Möbel wurden umgestürzt, Türen eingetreten, daß es bis zu den Felsen widerhallte, und dann kamen die Männer einer nach dem anderen wieder heraus auf die Straße und erklärten, wir seien nirgendwo zu finden. Und gerade da ertönte wieder derselbe Pfiff, der meine Mutter und mich über dem Gelde des toten Kapitäns aufgeschreckt hatte, klar durch die Nacht, aber jetzt zweimal hintereinander. Ich hatte geglaubt, dies sei das Signal des Blinden, der sozusagen seine Mannschaft zum Angriff sammelte, aber nun stellte ich fest, daß es ein Zeichen vom Hügel gegen das Dorf hin war und nach seiner Wirkung auf die Bukanier eine Warnung vor drohender Gefahr.

»Das ist wieder Dirk«, sagte einer. »Zweimal! Wir werden Leine ziehen müssen, Kameraden.«

»Leine ziehen, du Feigling!« schrie Pew. »Dirk war ein Narr und ein Angsthase seit je – kümmert euch nicht drum. Sie müssen ganz in der Nähe sein. Weit können sie nicht gekommen sein. Ihr habt's in der Hand. Verteilt euch und sucht nach ihnen, ihr Hunde. Ach, zum Teufel, hätt ich doch meine Augen!«

Dieser Aufruf schien einige Wirkung zu haben, denn zwei von den Kerlen begannen hier und da im Gehölz zu suchen, aber nur mit halbem Herzen, wie mir schien, und immer mit einem Auge auf ihre eigene Sicherheit bedacht, während die übrigen unentschlossen auf der Straße stehenblieben.

»Ihr habt Tausende in Aussicht, ihr Narren, und ihr schont eure Beine! So reich wie Könige würdet ihr, wenn ihr sie fändet, und ihr wißt, sie ist hier, und ihr trödelt hier herum. Keiner von euch hat's gewagt, Bill entgegenzutreten, und ich, ein Blinder, hab's getan. Und euretwegen soll ich meine Chance einbüßen! Ein armer Bettler soll ich bleiben, der um ein Glas Rum schmarotzt, und ich könnte in einer Kutsche fahren.«

»Zum Teufel, Pew, wir haben doch die Dublonen«, murrte einer.

»Vielleicht haben sie das verfluchte Ding versteckt«, sagte ein anderer. »Nimm die Goldstücke, Pew, und hör auf zu brüllen.«

Brüllen war das richtige Wort, denn bei diesen Einwänden steigerte sich Pews Wut so sehr, daß er schließlich, von seiner Raserei überwältigt, in seiner Blindheit nach links und rechts auf sie einschlug und sein Stock mehr als einen schwer traf.

Dieser Streit war unsere Rettung, denn während er noch tobte, drang von der Höhe des Hügels beim Dorf ein anderes Geräusch – der Hufschlag galoppierender Pferde. Fast zur gleichen Zeit kam von der Seite her ein Pistolenschuß, Blitz und Knall, und das war offenbar die letzte Warnung vor Gefahr, denn sofort wandten sich die Bukanier um und rannten in verschiedene Richtungen auseinander, der eine seewärts die Bucht entlang, ein anderer schräg über den Hügel und so weiter, so daß innerhalb einer halben Minute außer Pew keine Spur mehr von ihnen übrigblieb. Ihn hatten sie verlassen, entweder in reiner Panik oder aus Rache für seine üblen Reden und Schläge – ich weiß es nicht. Aber er blieb jedenfalls zurück und tappte wütend die Straße auf und ab, tastend und nach seinen Kameraden rufend. Schließlich machte er eine falsche Wendung, lief wenige Schritte weit an mir vorüber auf das Dorf zu und schrie: »Johnny, Schwarzer Hund, Dirk!« und noch andere Namen. »Ihr werdet den alten Pew doch nicht im Stich lassen, Kameraden!«

In diesem Augenblick kam der Hufschlag der Pferde über die Höhe. Vier oder fünf Reiter wurden im Mondlicht sichtbar und fegten in vollem Galopp den Hang hinab.

Jetzt merkte Pew seinen Irrtum, drehte sich mit einem Schrei um, lief gerade auf den Graben zu und fiel hinein. Aber in Sekundenschnelle war er wieder auf den Beinen und raste, jetzt völlig verwirrt, direkt vor das nächste der heransprengenden Pferde. Der Reiter versuchte vergebens, ihm auszuweichen. Mit einem Schrei, der laut durch die Nacht gellte, stürzte Pew zu Boden, und die vier Hufe gingen trampelnd und stampfend über ihn hinweg. Er fiel auf die Seite, sank dann langsam auf sein Gesicht und rührte sich nicht mehr.

Ich sprang auf und rief die Reiter an. Ganz entsetzt über den Unfall hielten sie, und dann sah ich, wer sie waren. Einer, der den Schluß bildete, war ein Bursche, der vom Dorf aus zu Dr. Livesey geritten war. Die übrigen waren Zollbeamte, die er unterwegs getroffen hatte und mit denen er klugerweise sofort zurückgekehrt war.

Pew war tot, mausetot, und was meine Mutter anbelangt, so brachten wir sie ins Dorf, wo etwas kaltes Wasser und Riechsalz und dergleichen sie wieder zu sich brachten.

Ich ging mit dem Zollinspektor Mr. Dance zurück zum »Admiral Benbow«. Ein Haus in solchem Zustand der Verwüstung kann man sich gar nicht vorstellen. Sogar die Uhr hatten diese Kerle bei der wütenden Suche nach mir und meiner Mutter heruntergeschlagen; und wenn sie auch in Wirklichkeit nichts mitgenommen hatten als des Kapitäns Geldbeutel und etwas Silber aus der Kasse, sah ich doch sofort, daß wir ruiniert waren. Mr. Dance konnte aus der ganzen Sache überhaupt nicht klug werden.

»Das Geld haben sie genommen, sagst du. Ja aber, Hawkins, was suchten sie denn sonst noch? Noch mehr Geld, vermute ich.«

»Nein, Sir, Geld nicht, glaube ich«, entgegnete ich. »Vielmehr nehme ich an, ich habe das Ding in meiner Brusttasche, und um die Wahrheit zu sagen, ich möchte es in Sicherheit bringen.«

»Gewiß, Junge, ganz richtig«, erwiderte er. »Wenn du willst, werd ich es an mich nehmen.«

»Ich dachte, vielleicht Dr. Livesey –«, begann ich.

»Vorzüglich«, unterbrach er mich hocherfreut, »vorzüglich – ein Ehrenmann und eine Amtsperson. Und wenn ich mir's überlege, so könnte ich selbst hinreiten und ihm oder dem Squire Bericht erstatten. Schließlich ist Meister Pew tot, nicht daß ich es bedauerte, aber er ist tot, verstehst du, und die Leute werden das gegen einen Zollbeamten Seiner Majestät ausnutzen, wenn sie dazu in der Lage sind. Ich will dir etwas sagen, Hawkins; wenn du willst, nehme ich dich mit hin.«

Ich dankte ihm herzlich für sein Angebot, und wir gingen zurück zum Dorf, wo die Pferde standen. Bis ich meiner Mutter meine Absicht erklärt hatte, saßen alle bereits im Sattel.

»Dogger«, sagte Mr. Dance. »Ihr habt ein gutes Pferd. Nehmt den Jungen hinter Euch.«

Sobald ich aufgesessen war und mich an Doggers Koppel festhielt, gab der Zollinspektor das Kommando, und die Schar machte sich in flottem Trab auf den Weg zu Dr. Livesey.

Wir ritten den ganzen Weg in scharfem Tempo, bis wir zu Dr. Liveseys Tür kamen. Die Hausfront war völlig dunkel.

Mr. Dance hieß mich abspringen und anklopfen, und Dogger hielt mir einen Steigbügel hin, damit ich absteigen konnte. Fast augenblicklich wurde die Tür von dem Hausmädchen geöffnet.

»Ist Dr. Livesey zu Hause?« fragte ich.

»Nein«, antwortete sie; er sei heute nachmittag zurückgekommen, sei dann aber hinauf ins Herrenhaus gegangen, um dort zu speisen und den Abend beim Squire zu verbringen.

»Dann reiten wir dorthin, Jungs«, sagte Mr. Dance.

Diesmal stieg ich nicht auf, da die Strecke nur kurz war, sondern lief, die Hand an Doggers Steigbügelriemen, bis zum Tor der Besitzung und die lange unbelaubte, mondbeschienene Allee entlang bis zu dem weißen Herrenhaus. Hier stieg Mr. Dance ab und nahm mich mit zu dem Haus, in das wir auf ein Wort hin eingelassen wurden.

Der Diener führte uns über einen teppichbelegten Flur und wies uns an dessen Ende in eine große Bibliothek, die rings mit Bücherschränken ausgestattet war, auf denen Büsten standen. Dort saßen der Squire und Dr. Livesey, die Pfeifen in der Hand, zu beiden Seiten eines hellen Feuers.

Ich hatte den Squire noch nie so aus der Nähe gesehen. Er war ein großer Mann, über sechs Fuß hoch und entsprechend breit, und er hatte ein derbes, offenes, von seinen vielen Reisen rauhes, gerötetes und zerfurchtes Gesicht. Seine Augenbrauen waren tiefschwarz und bewegten sich dauernd, und das ließ ihn als recht temperamentvoll erscheinen – nicht gerade böse, aber doch heftig und hochmütig.

»Tretet ein, Mr. Dance«, sagte er sehr würdevoll und herablassend.

»Guten Abend, Dance«, grüßte ihn der Arzt mit einem Nikken, »und auch guten Abend dir, Freund Jim. Welcher gute Wind weht euch hierher?«

Der Zollinspektor stand aufgerichtet und steif da und erzählte seine Geschichte wie eine Schulaufgabe, und man hätte sehen müssen, wie die beiden Herren sich vorbeugten und einander anblickten und vor lauter Überraschung und Aufmerksamkeit zu rauchen vergaßen. Als sie hörten, wie meine Mutter zum Gasthof zurückgegangen war, schlug sich Dr. Livesey wahrhaftig auf den Schenkel, und der Squire rief »Bravo!« und zerbrach dabei seine lange Pfeife am Kaminrost.

Schließlich beendete Mr. Dance seine Geschichte.

»Mr. Dance«, sagte der Squire, »Ihr seid ein vortrefflicher Bursche. Daß Ihr diesen finsteren, abscheulichen Schurken niedergeritten habt, betrachte ich als eine gute Tat, Sir, so, als hättet Ihr einen Kakerlaken zertreten. Dieser junge Hawkins ist ein Prachtkerl, wie ich sehe. Hawkins, willst du mal den Klingelzug dort ziehen? Mr. Dance soll ein Glas Bier bekommen.«

»Und du, Jim, hast also das Ding, hinter dem sie her waren, nicht wahr?« begann der Arzt.

»Hier ist es, Sir«, antwortete ich und reichte ihm das Wachstuchpäckchen.

Der Arzt betrachtete es von allen Seiten, als juckten ihn seine Finger, es zu öffnen, aber statt dessen steckte er es ruhig in seine Rocktasche.

»Squire«, sagte er, »wenn Dance sein Bier bekommen hat, muß er natürlich zurück in den Dienst Seiner Majestät. Aber ich beabsichtige, Jim Hawkins zum Schlafen in meinem Hause zu behalten, und mit Eurer Erlaubnis schlage ich vor, die kalte Pastete heraufbringen und ihn zu Abend essen zu lassen.«

»Wie Ihr wollt, Livesey«, erwiderte der Squire. »Hawkins hat noch etwas Besseres verdient als kalte Pastete.«

So wurde eine große Taubenpastete gebracht und auf einen Seitentisch gestellt. Ich nahm ein herzhaftes Abendbrot zu mir, denn ich war hungrig wie ein Wolf, während Mr. Dance noch einmal belobigt und dann verabschiedet wurde.

»Und nun, Squire«, begann der Arzt.

»Und nun, Livesey«, sagte der Squire im gleichen Atemzuge.

»Wie aus einem Munde, wie aus einem Munde!« lachte Dr. Livesey. »Ihr habt von diesem Flint gehört, nehme ich an.«

»Von ihm gehört!« rief der Squire. »Von ihm gehört, sagt Ihr! Das war der blutdürstigste Bukanier, der je das Meer befahren hat. Blackbeard war ein Waisenknabe gegen Flint. Die Spanier hatten so ungeheure Angst von ihm, daß ich sagen muß, Sir, ich war manchmal stolz darauf, daß er ein Engländer war.«

»Ja, ich habe selbst von ihm gehört, hier in England«, erwiderte der Arzt. »Aber die Hauptsache ist, hatte er Geld?«

»Geld!« rief der Squire. »Habt Ihr denn die Geschichte nicht gehört? Was wollten die Schufte denn anderes als Geld? Für was sonst würden sie ihren lumpigen Kadaver riskieren?«

»Das werden wir bald erfahren«, entgegnete der Arzt. »Aber Ihr seid so verflucht hitzköpfig und laut, daß ich nicht zu Wort komme. Was ich wissen möchte, ist das: Angenommen, ich habe hier in meiner Tasche einen Hinweis darauf, wo Flint seinen Schatz vergraben hat, ist denn dieser Schatz so beträchtlich?«

»Beträchtlich, Sir?« rief der Squire. »Er ist so beträchtlich, daß, wenn wir den Hinweis haben, von dem Ihr redet, ich im Dock von Bristol ein Schiff ausrüste und Euch und Hawkins mitnehme, und ich finde den Schatz, und wenn ich ein Jahr lang suchen müßte.«

»Sehr gut«, antwortete der Arzt. »Wenn es Jim also recht ist, wollen wir das Päckchen öffnen«, und mit diesen Worten legte er es vor sich auf den Tisch.

Das Bündel war zugenäht, und der Arzt mußte sein Besteck hervorholen und die Stiche mit seiner Operationsschere durchschneiden. Es enthielt zwei Gegenstände: ein Buch und ein versiegeltes Papier.

»Zuallererst wollen wir uns das Buch ansehen«, bemerkte der Arzt.

Der Squire und ich schauten ihm über die Schulter, während er es öffnete. Auf der ersten Seite befanden sich nur einige Kritzeleien, wie sie ein Mensch, der eine Feder in der Hand hält, aus Langeweile oder zur Übung macht. Eine war dieselbe wie die Tätowierung »Billy Bones' Traum«. Dann stand da: »Mr. W. Bones, Maat«, »Kein Rum mehr«, »Bei Palm Key kriegt er eß!« und einige andere kurze Bemerkungen, meist einzelne Worte und unverständlich.

»Nicht sehr aufschlußreich«, sagte Dr. Livesey und blätterte weiter.

Die nächsten zehn oder zwölf Seiten waren mit einer Reihe seltsamer Eintragungen angefüllt. Am Anfang jeder Zeile stand ein Datum und am Ende eine Geldsumme, wie in einem gewöhnlichen Kontobuch, aber dazwischen anstelle von erläuternden Bemerkungen nur eine wechselnde Zahl von Kreuzen. So war beispielsweise am 12. Juni 1745 jemandem eine Summe von siebzig Pfund Sterling gutgeschrieben worden, und nur sechs Kreuze standen da, um die Ursache zu erklären. In einigen wenigen Fällen waren allerdings Ortsbezeichnungen beigefügt wie »Auf der Höhe von Caracas« oder nur die Eintragung von Länge und Breite wie »62° 17′ 20″, 19° 2′ 40″«.

Die Niederschrift ging über fast zwanzig Seiten, die Höhe der einzelnen Summen stieg mit der Zeit immer mehr, und zum Schluß war nach fünf oder sechs Additionen die Endsumme gezogen und darunter waren die Worte gesetzt: »Bones sein Kapital.«

»Daraus kann ich mir keinen Vers machen«, sagte Dr. Livesey.

»Das ist doch sonnenklar!« rief der Squire. »Das ist das Kontobuch dieses finsteren Schweinehundes. Die Kreuze sind die Namen der Schiffe oder Städte, die sie versenkt oder geplündert haben. Die Summen sind der Anteil des Schurken.«

»Richtig!« erwiderte der Arzt. »Da sieht man, was es heißt, weit gereist zu sein. Richtig! Und der Betrag wuchs, wie man sieht, so wie Bill im Rang aufstieg.«

Sonst stand nur wenig in dem Buch, nur auf den letzten leeren Seiten einige Ortsangaben und eine Tabelle, mit der man französisches, englisches und spanisches Geld umrechnen konnte.

»Sparsamer Mann!« rief der Arzt. »Der ließ sich nicht betrügen.«

»Und nun zu dem anderen«, sagte der Squire.

Das Papier war an mehreren Stellen statt mit einem Petschaft* mit einem Fingerhut versiegelt. Der Arzt öffnete sehr behutsam die Siegel, und heraus fiel die Karte einer Insel mit Längen- und Breitenangaben, Lotungen, Namen von Hügeln, Buchten und Einfahrten und allen Einzelheiten, die nötig waren,

---

* Siegel

ein Schiff an ihren Küsten an einen sicheren Ankerplatz zu bringen. Sie war etwa neun Meilen lang und fünf Meilen breit und hatte sozusagen die Gestalt eines aufrechtstehenden dicken Drachens, besaß zwei schöne, landgeschützte Häfen, ein von Palisaden umgebenes Blockhaus und im mittleren Teil einen Berg, der als »Das Fernrohr« bezeichnet war. Dann waren da noch einige Angaben aus späterer Zeit und vor allem drei Kreuze in roter Tinte, zwei im nördlichen Teil der Insel und eins im Südwesten, und bei diesen letzten standen in kleinen sauberen, von der krakeligen Handschrift des Kapitäns sehr verschiedenen Zügen, mit der gleichen roten Tinte geschrieben, die Worte: »Masse des Schatzes.«

Auf der Rückseite hatte dieselbe Hand folgende weitere Informationen eingetragen:

»Hoher Baum, Fernrohrabhang, weist auf einen Punkt Nordnordost zu Nord.

Skelettinsel Ostsüdost und bei Ost.

Zehn Fuß.

Das Barrensilber ist im nördlichen Versteck; man findet es am Abhang des östlichen Hügels, zehn Faden südlich der schwarzen Klippe, mit dem Gesicht ihr zugekehrt. Die Waffen sind leicht zu finden in dem Sandhügel Nordspitze des Kaps an der Nordeinfahrt, östliche Richtung und ein Viertel Nord.   J. F.«

Das war alles, aber so wenig und so unverständlich es für mich war, versetzte es den Squire und Dr. Livesey in Entzücken.

»Livesey«, begann der Squire, »diese elende Praxis gebt Ihr sofort auf. Morgen reise ich nach Bristol. Innerhalb von drei Wochen – drei Wochen? – zwei Wochen – zehn Tagen haben wir das beste Schiff, Sir, und die ausgesuchteste Mannschaft von ganz England. Hawkins kommt mit als Schiffsjunge. Du wirst einen vorzüglichen Schiffsjungen abgeben, Hawkins. Ihr, Livesey, seid Schiffsarzt, und ich bin Admiral. Redruth, Joyce und Hunter nehmen wir mit. Wir werden wunderbaren Wind haben, eine schnelle Überfahrt und nicht die geringste Schwierigkeit, die Stelle zu finden, und Geld wie Heu, daß wir uns darin wälzen und damit Butterstullen schmeißen können, solange wir wollen.«

»Trelawney«, entgegnete der Arzt, »ich will mit Euch fahren

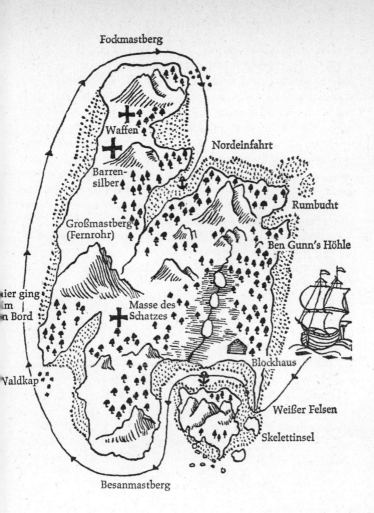

Fockmastberg

Waffen

Barren-
silber

Nordeinfahrt

Großmastberg
(Fernrohr)

Rumbucht

Ben Gunn's Höhle

hier ging
im
n Bord

Masse des
Schatzes

Valdkap

Blockhaus

Weißer Felsen

Skelettinsel

Besanmastberg

Weg der Hispaniola vom Morgen der Ankunft an

und setze meinen Kopf dafür, Jim geht auch mit, und wir wollen für das Unternehmen bürgen. Nur einen Menschen gibt es, vor dem ich Angst habe.«

»Und wer ist das?« rief der Squire. »Nennt mir den Hund!«

»Ihr selbst«, erwiderte der Arzt, »denn Ihr könnt den Mund nicht halten. Wir sind nicht die einzigen, die von diesem Papier wissen. Diese Burschen, die heute abend den Gasthof angegriffen haben, und noch andere mehr, die, wie ich behaupten möchte, nicht weit weg sein mögen, sind einer wie der andere fest entschlossen, sich in den Besitz des Geldes zu setzen, komme, was wolle. Keiner von uns darf allein ausgehen, bis wir in See stechen. Jim und ich bleiben inzwischen beisammen, und Ihr werdet Joyce und Hunter mitnehmen, wenn Ihr nach Bristol reist, und von Anfang bis zum Ende darf keiner von uns einen Ton verlauten lassen von dem, was wir gefunden haben.«

»Livesey", antwortete der Squire, »Ihr habt recht wie immer. Ich werde schweigen wie das Grab.«

Zweiter Teil

Der Schiffskoch

Ich gehe nach Bristol

Es dauerte länger, als der Squire sich vorgestellt hatte, bis wir zum Auslaufen fertig waren, und keiner unserer anfänglichen Pläne – nicht einmal der Dr. Liveseys, mich bei sich zu behalten – ließ sich so durchführen, wie wir beabsichtigt hatten. Der Arzt mußte nach London, um sich jemanden zu suchen, der seine Praxis betreute, der Squire war in Bristol tüchtig am Werk, und ich lebte im Herrenhaus unter der Obhut des alten Redruth, des Jagdhüters, fast wie ein Gefangener, aber erfüllt von Seeträumen und dem zauberhaftesten Vorgeschmack auf seltsame Inseln und Abenteuer. Stundenlang brütete ich über der Karte, die mir in allen Teilen gut im Gedächtnis geblieben ist.

So vergingen die Wochen, bis eines Tages ein an Dr. Livesey gerichteter Brief ankam, der mit der Aufschrift versehen war: »Im Falle seiner Abwesenheit von Tom Redruth oder dem jungen Hawkins zu öffnen.« Wir folgten der Anweisung und fanden diese wichtige Nachricht:

»Gasthof Zum alten Anker, Bristol, 1. März 17 . . .
Lieber Livesey, da ich nicht weiß, ob Ihr in meinem Hause oder in London seid, sende ich diesen Brief in zwei Ausfertigungen an beide Stellen.

Das Schiff ist gekauft und ausgerüstet. Es liegt fertig zum Auslaufen vor Anker. Ihr könnt Euch keinen hübscheren Schoner vorstellen, zweihundert Tonnen, Name ›Hispaniola‹.

Ich habe ihn durch meinen alten Freund Blandly bekommen, der sich als der überraschendste Bursche erwiesen hat. Der wunderbare Kerl hat sich für mich buchstäblich abgequält, und dasselbe hat, wie ich sagen kann, jedermann in Bristol getan, sobald sie Wind von dem Ziel bekamen, das wir ansteuern – den Schatz, meine ich.«

»Redruth«, sagte ich und unterbrach meine Lektüre, »das wird Dr. Livesey aber nicht passen. Also hat der Squire doch nicht den Mund gehalten.«

»Na, wer sollte ihm das auch verbieten?« knurrte der Jagdhüter. »Das wär ja noch schöner, wenn der Squire wegen Dr. Livesey nicht reden dürfte, mein ich.«

Daraufhin verzichtete ich auf jeden weiteren Versuch einer Erläuterung und las weiter:

»Blandly selbst hat die ›Hispaniola‹ ausfindig gemacht und sie durch die bewundernswertesten Verhandlungen für einen Apfel und ein Ei bekommen.

Soweit ging alles gut. Die Arbeiter – Takler und was weiß ich – waren allerdings schrecklich langsam. Aber das besserte sich mit der Zeit. Die Mannschaft war es, die mir Sorge machte.

Ich wollte runde zwanzig Mann haben – wegen etwaiger Eingeborener, Bukanier oder der ekelhaften Franzosen –, und ich hatte verteufelte Mühe, gerade ein halbes Dutzend zu finden, bis mir der Glücksfall den Mann zuführte, den ich suchte.

Ich stand am Dock, als ich durch einen reinen Zufall mit ihm ins Gespräch kam. Ich stellte fest, daß es ein alter Seemann war, der ein Wirtshaus betreibt und alle seefahrenden Leute in Bristol kennt. Er hat an Land seine Gesundheit eingebüßt und sucht eine gute Koje als Koch, um wieder zur See fahren zu können. An diesem Morgen war er heruntergehumpelt, um, wie er sagte, wieder einmal Salzluft zu schnuppern.

Ich war ungeheuer gerührt, und aus reinem Mitleid heuerte ich ihn auf der Stelle als Schiffskoch an. Der lange John Silver, so nennt man ihn, hat ein Bein verloren, aber das betrachte ich als eine Empfehlung, denn er hat es unter dem unsterblichen Hawke* im Dienst für das Vaterland eingebüßt.

* Lord Edward Hawke, englischer Admiral, siegte 1759 über die französische Flotte, die von Brest aus England angreifen sollte (Anmerkung des Übersetzers).

Nun, Sir, dachte ich, ich hätte nur einen Koch gefunden, aber es war eine ganze Mannschaft, die ich aufgestöbert hatte. Silver und ich haben innerhalb von wenigen Tagen eine ganze Besatzung der denkbar zähesten alten Teerjacken zusammengebracht – nicht gerade hübsch anzusehen, aber Kerle von unbezähmbarem Mut.

Der lange John ist sogar noch zwei von den sechs oder sieben losgeworden, die ich bereits angeheuert hatte. Ohne weiteres bewies er mir, daß sie genau zu der Sorte von Süßwasserwaschlappen gehörten, die uns bei einem wichtigen Abenteuer nur im Wege sein könnten.

Ich bin bei prächtigster Gesundheit und Stimmung, esse wie ein Stier und schlafe wie ein Klotz, aber ich habe keinen Augenblick Ruhe, ehe ich nicht meine alten Teerjacken das Gangspill* drehen sehe. Seewärts ahoi! Zum Teufel mit dem Schatz! Das wunderbare Meer hat mir den Kopf verdreht. Also, Livesey, kommt sofort. Verliert keine Stunde, wenn Ihr mich schätzt.

Laßt den jungen Hawkins sofort unter Redruths Schutz seine Mutter besuchen und dann beide so schnell wie möglich nach Bristol kommen.   John Trelawney

Postskriptum. Ich habe Euch nicht gesagt, daß Blandly eine Hilfsexpedition nach uns aussenden will, wenn wir bis Ende August nicht wieder aufgekreuzt sind.«

Man kann sich die Erregung vorstellen, in die mich dieser Brief versetzte. Ich war fast außer mir vor Freude, und wenn ich jemanden verachtete, so war es der alte Tom Redruth, der nichts anderes konnte als knurren und klagen.

Am nächsten Morgen machten er und ich uns zu Fuß auf den Weg zum »Admiral Benbow«, und dort fand ich meine Mutter gesund und munter vor. Der Kapitän, der so lange Anlaß zu vielem Verdruß gegeben hatte, war dahin gegangen, wo auch die Bösen nicht mehr stören. Der Squire hatte alles in Ordnung bringen, die Gasträume und das Wirtshausschild neu malen und

---

* Senkrecht stehende Winde, eine Art Göpel.

einige Einrichtungsgegenstände, vor allem für Mutter im Schankraum einen schönen Armstuhl, neu beschaffen lassen. Er hatte
ihr auch einen Jungen als Lehrling besorgt, so daß es ihr nicht
an Hilfe fehlte, solange ich fort war.

Die Nacht verging, und am nächsten Tage nach Tisch waren
Redruth und ich wieder zu Fuß auf dem Weg. Ich nahm Ab-
schied von meiner Mutter und von der Bucht, wo ich seit meiner
Geburt gelebt hatte.

In der Dämmerung nahm uns beim »Royal George« in der
Heide der Postwagen auf. Ich saß eingeklemmt zwischen Redruth
und einem dicken alten Herrn, und trotz der schnellen Bewegung
und der kalten Nachtluft muß ich von Anfang an eingedämmert
sein und schlief dann bergauf und bergab, von Station zu Station
wie ein Klotz, denn nur durch einen Rippenstoß wachte ich
schließlich auf. Ich öffnete meine Augen und sah, daß wir vor
einem großen Gebäude in der Straße einer Stadt hielten und der
Tag schon lange angebrochen war.

»Wo sind wir?« fragte ich.

»Bristol«, erwiderte Tom, »steig aus.«

Mr. Trelawney hatte in einem Gasthof weit unten bei den
Docks Quartier genommen, um die Arbeiten am Schoner zu
überwachen. Dahin mußten wir nun gehen, und zu meiner großen Freude führte unser Weg an den Kais entlang und vorbei
an einer Unzahl von Schiffen jeder Größe, Betakelung und Herkunft. Auf dem einen sangen Matrosen bei ihrer Arbeit, auf
einem anderen hingen Männer hoch über meinem Kopf an Fäden,
die nicht stärker zu sein schienen als die einer Spinne.

Und ich selbst war dabei, zur See zu gehen, zur See auf einem
Schoner, mit einem pfeifenden Bootsmann und bezopften, sin-
genden Matrosen, zur See nach einer unbekannten Insel, um nach
vergrabenen Schätzen zu suchen.

Während ich mich noch in diesen herrlichen Träumen wiegte,
kamen wir plötzlich vor einem großen Gasthof an und trafen
Squire Trelawney. Er war ganz wie ein Seeoffizier in festes
blaues Tuch gekleidet und trat gerade mit einem Lächeln auf dem
Gesicht und einem wunderbar nachgeahmten Seemannsgang aus
der Tür.

»Da seid ihr ja«, rief er, »und der Doktor ist gestern abend von London angekommen. Bravo! Die Schiffsbesatzung ist komplett!«

»Oh, Sir«, rief ich, »wann segeln wir?«

»Segeln!« entgegnete er. »Morgen segeln wir.«

Im Gasthof »Zum Fernrohr«

Nachdem ich gefrühstückt hatte, gab mir der Squire einen Brief, der an John Silver im Gasthof »Zum Fernrohr« gerichtet war, und sagte mir, ich würde die Stelle leicht finden, wenn ich der Reihe der Docks folgte und gut Ausschau hielte nach einem kleinen Gasthof mit einem großen Messingfernrohr als Wirtshausschild.

Bald hatte ich es gefunden. Es war ein recht hübsches, reinliches Lokal. Das Wirtshausschild war neu gemalt, an den Fenstern hingen ordentliche rote Vorhänge, und der Fußboden war sauber mit Sand bestreut. Auf jeder Seite befand sich eine Straße, und auf beide hinaus führte je eine offene Tür, was den weiten niedrigen Raum trotz der Wolken von Tabaksqualm ziemlich übersichtlich machte.

Die Gäste waren meist Seeleute. Sie sprachen so laut, daß ich an der Tür stehenblieb und fast Angst hatte einzutreten.

Während ich so wartend dastand, kam ein Mann aus einem Nebenraum, und mit einem Blick war ich sicher, daß dies der lange John war. Sein linkes Bein war dicht unter der Hüfte abgeschnitten, und unter der linken Achsel trug er eine Krücke, die er mit wunderbarer Geschicklichkeit handhabe und auf der er wie ein Vogel umherhüpfte. Er war sehr groß und stark; sein Gesicht war so breit wie ein Schinken, flach und bleich, aber klug und lächelnd.

Nun hatte ich, offen gesagt, vom ersten Augenblick an, als Squire Trelawney in seinem Brief den langen John erwähnt hatte, in Gedanken befürchtet, er könne sich als derselbe einbeinige Seemann herausstellen, nach dem ich im »Admiral Benbow« so lange Ausschau gehalten hatte. Aber ein Blick auf den Mann vor mir genügte. Ich hatte den Kapitän gesehen, den Schwarzen Hund und den blinden Pew, und ich glaubte zu wissen, wie ein Bukanier aussieht. Sofort faßte ich Mut, überschritt die Schwelle und ging direkt auf den Mann zu, dahin, wo er auf seine Krücke gestützt stand und sich mit einem Gast unterhielt.

»Mr. Silver, Sir?« fragte ich und hielt ihm den Brief hin.

»Jawohl, mein Junge«, sagte er, »der bin ich allerdings, und wer bist du?« Und dann, als er den Brief des Squire sah, gab es ihm, wie mir schien, etwas wie einen Ruck.

»Ach«, sagte er ganz laut und reichte mir seine Hand, »ich verstehe. Du bist unser neuer Schiffsjunge. Ich freue mich, dich zu sehen.« Und er nahm meine Hand in seine große, starke Pranke.

In demselben Augenblick erhob sich in einer entfernten Ecke plötzlich ein Gast und lief zur Tür. Sie war ganz in seiner Nähe, und im Nu war er draußen auf der Straße. Aber seine Eile hatte meine Aufmerksamkeit geweckt, und mit einem Blick hatte ich ihn erkannt. Es war der Mann mit dem aufgedunsenen Gesicht, dem zwei Finger fehlten und der als erster in den »Admiral Benbow« gekommen war.

»Ach«, rief ich, »haltet ihn, das ist der Schwarze Hund!«

»Das interessiert mich keinen roten Heller, wer er ist«, rief Silver, »aber er hat seine Zeche nicht bezahlt. Harry, lauf und schnapp ihn dir.«

Einer der anderen, die am nächsten bei der Tür saßen, sprang auf und lief ihm nach.

»Und wenn's der Admiral Hawke wäre, seine Zeche muß er bezahlen«, rief Silver und ließ meine Hand los. »Wer war das, sagtest du? Schwarzer was?« fragte er.

»Hund, Sir«, erwiderte ich. »Hat Mr. Trelawney Euch nicht von den Bukaniern erzählt? Er war einer von ihnen.«

»So?« rief Silver. »In meinem Hause! Ben, lauf und hilf Harry. Einer von diesen Kerlen war es? Warst du es, der mit ihm getrunken hat, Morgan? Komm doch mal her.«

Der Mann, den er Morgan nannte, ein alter grauhaariger Seemann mit einem mahagonifarbenen Gesicht, kam tabakkauend und ziemlich schafsdämlich näher.

»Nun, Morgan«, fuhr der lange John in ziemlich strengem Ton fort, »hast du diesen Schwarzen – Schwarzen Hund vorher niemals gesehen? Oder etwa doch?«

»Niemals, Sir«, erwiderte Morgan und salutierte.

»Kennst auch seinen Namen nicht? Oder etwa doch?«

»Nein, Sir.«

»Weiß der Teufel, Tom Morgan, das ist dein Glück«, rief der Wirt. »Wenn du dich mit seinesgleichen eingelassen hättest, keinen Fuß dürftest du mehr in mein Haus setzen, darauf kannst du dich verlassen. Und was hat er dir erzählt?«

»Ich weiß es nicht mehr genau, Sir«, erwiderte Morgan.

Und während Morgan wieder zu seinem Platz schlingerte, wandte sich Silver in vertraulichem Flüsterton zu mir, was mir sehr schmeichelhaft vorkam: »Das ist ein ganz anständiger Mann, dieser Tom Morgan, nur dumm, und jetzt«, fuhr er wieder laut fort, »laß mich mal überlegen – Schwarzer Hund? Nein, den Namen kenne ich nicht, wirklich nicht. Aber 'nen Schimmer von einem Gedanken habe ich – ja, ich habe den Kerl schon einmal gesehen. Mit einem blinden Bettler pflegte er hierherzukommen, das tat er.«

»Das tat er, da habt Ihr recht«, entgegnete ich. »Den Blinden habe ich auch gekannt. Er hieß Pew.«

»Das stimmt!« rief Silver jetzt ganz aufgeregt. »Pew! So hieß er! Ganz gewiß! Ah, wie ein Gauner hat er ausgesehen. Na, das wird eine Nachricht für Käpt'n Trelawney sein, wenn wir diesen Schwarzen Hund erwischen. Ben ist ein guter Läufer. Wenige Matrosen laufen besser als Ben. Er müßte ihn einholen, in aller Kürze, weiß der Teufel.«

Während er das alles hervorstieß, humpelte er mit seiner Krücke in der Gaststube auf und ab, schlug mit der Hand auf die Tische und führte ein derartiges Schauspiel der Erregung auf, daß er jeden Richter und jeden Londoner Polizisten überzeugt haben würde. Durch das Auftauchen des Schwarzen Hundes im »Fernrohr« war mein Argwohn wieder geweckt worden, und ich beobachtete den Koch scharf. Aber er war zu verschlagen, zu geschickt und zu klug für mich, und als inzwischen die beiden Männer atemlos zurückkamen und eingestanden, sie hätten die Spur im

Gedränge verloren und seien selbst als Diebe beschimpft worden, hätte ich mich für die Unschuld des langen John verbürgt.

»Nun sieh mal, Hawkins«, sagte er, »das ist eine verflucht harte Nuß für einen Mann wie mich, nicht wahr? Was soll Käpt'n Trelawney von mir denken? Da sitzt nun dieser verdammte Hundesohn in meinem eigenen Hause und trinkt meinen eigenen Rum! Da kommst du und erzählst mir das alles ganz klar, und ich lasse ihn uns allen vor meinen gesegneten Augen entwischen. Nun, Hawkins, laß mir Gerechtigkeit widerfahren vor dem Käpt'n. Du bist ein Junge, das stimmt, aber du bist so klug wie nur einer. Das habe ich gleich gesehen, als du hereinkamst. Aber sag selbst, was konnte ich tun mit dem alten Stück Holz, an dem ich herumhumpele.«

Und dann schwieg er plötzlich, und sein Kiefer sank ihm herab, als sei ihm etwas eingefallen.

»Die Zeche«, platzte er heraus. »Drei Quart Rum! Hol mich der Teufel, wenn ich die Zeche nicht vergessen habe.«

Und damit ließ er sich auf eine Bank fallen und lachte, bis ihm die Tränen die Backen herabliefen. Ich konnte nicht anders als einstimmen, und wir lachten zusammen, eine Lachsalve nach der anderen, bis die Gaststube davon widerhallte.

»Na, ich bin ja ein seltenes altes Seekalb«, sagte er schließlich und wischte sich die Backen ab. »Du und ich, wir beide sollten eigentlich gut miteinander auskommen, Hawkins, denn, weiß der Teufel, ich hätte mich als Schiffsjunge anheuern lassen sollen. Aber jetzt komm; klar zum Wenden. Da hilft nichts. Pflicht ist Pflicht, Kameraden. Ich werde meinen alten Dreispitz aufsetzen und mit dir zu Käpt'n Trelawney gehen und ihm die Geschichte hier berichten. Denn, weißt du, das ist eine ernste Sache, junger Hawkins, und weder du noch ich haben dabei so abgeschnitten, daß ich kühn genug wäre, Kredit für uns zu beanspruchen.«

Bei unserem kurzen Weg die Kais entlang war er der interessanteste Begleiter. Er erzählte mir von den verschiedenen Schiffen, an denen wir vorüberkamen, von ihrer Takelung, Tonnage und Nationalität, erklärte mir, was man da arbeitete, wie das eine gelöscht und das andere beladen wurde und wie ein drittes sich zum Auslaufen fertig machte.

Als wir zu dem Gasthof kamen, saßen da der Squire und Dr. Livesey und nahmen ein Glas Bier mit Toast, ehe sie zur Inspektion an Bord des Schoners gingen.

Sehr lebhaft und durchaus wahrheitsgetreu brachte der lange John die Geschichte von A bis Z vor. »So war doch die Sache, nicht wahr, Hawkins?« sagte er immer wieder, und ich konnte ihm nur voll und ganz beipflichten.

Die beiden Herren bedauerten sehr, daß der Schwarze Hund entkommen war, aber wir waren alle derselben Meinung, daß sich mehr nicht tun ließ, und nachdem er belobigt worden war, nahm der lange John seine Krücke auf und zog ab.

»Um vier heute nachmittag alle Mann an Bord!« schrie der Squire ihm nach. »Ay, ay, Sir«, rief der Koch im Fortgehn.

»Nun, Squire«, sagte Dr. Livesey, »im allgemeinen habe ich nicht viel Vertrauen zu Euren Entdeckungen, aber das muß ich sagen, John Silver gefällt mir.«

»Der Mann ist Gold wert«, erklärte der Squire.

»Und jetzt«, fuhr der Arzt fort, »kann Jim mit uns an Bord kommen, nicht wahr?«

»Natürlich kann er«, entgegnete der Squire. »Nimm deinen Hut, Hawkins, und dann wollen wir uns das Schiff ansehen.«

Pulver und Waffen

Die »Hispaniola« lag eine Strecke weit draußen, und wir mußten unter den Galionsfiguren und den Hecks vieler Schiffe durch, und manches Mal schabten ihre Taue unter unserem Kiel oder spannten sich über unseren Köpfen. Indes kamen wir schließlich längsseits, und als wir an Bord gingen, empfing uns salutierend der Maat, Mr. Arrow, ein gebräunter alter Seemann mit Ohrringen und einem schielenden Auge. Er und der Squire waren dicke Freunde, aber bald merkte ich, daß die Dinge zwischen Mr. Trelawney und dem Kapitän nicht so gut standen.

Der letztere war ein streng aussehender Mann, der mit jedermann an Bord böse zu sein schien, und den Grund sollte er uns

bald mitteilen, denn kaum waren wir in die Kajüte hinabge-
stiegen, als ein Matrose uns folgte.

»Kapitän Smollett wünscht Euch zu sprechen, Sir«, sagte er.

»Ich stehe dem Kapitän jederzeit zur Verfügung. Führe ihn
herein«, antwortete der Squire.

Der Kapitän war seinem Boten auf dem Fuß gefolgt. Er trat
sofort herein und schloß die Tür.

»Nun, Kapitän Smollett, was habt Ihr mir zu sagen? Alles
in Ordnung, hoffe ich, alles klar und segelfertig.«

»Gut, Sir«, erwiderte der Kapitän. »Es ist besser, offen zu
reden, glaube ich, selbst auf die Gefahr hin, Euch zu verletzen.
Diese Fahrt gefällt mir nicht, die Mannschaft gefällt mir nicht
und mein Offizier gefällt mir nicht. Das ist klar und deutlich.«

»Vielleicht gefällt Euch auch das Schiff nicht«, erkundigte sich
der Squire sehr zornig, wie ich erkennen konnte.

»Dazu kann ich mich nicht äußern, Sir, ehe ich es nicht aus-
probiert habe«, entgegnete der Kapitän. »Es scheint ein gutes
Fahrzeug zu sein, mehr kann ich nicht sagen.«

»Vielleicht paßt Euch Euer Brotherr nicht«, fragte der Squire
weiter.

Aber hier mischte sich Dr. Livesey ein.

»Einen Augenblick«, sagte er. »Einen Augenblick. Bitte keine
solchen Fragen, die nur Mißstimmung hervorrufen. Der Kapitän
hat entweder zuviel gesagt oder zuwenig, und ich fühle mich
verpflichtet, zu bemerken, daß ich von ihm eine Erklärung
wünsche. Die Fahrt gefällt Euch nicht, sagt Ihr. Warum denn
nicht?«

»Ich wurde mit versiegelter Fahrtorder angeheuert, das heißt,
ich soll für diesen Herrn das Schiff dahin führen, wohin er mir
befiehlt«, sagte der Kapitän. »Soweit gut. Jetzt aber stelle ich
fest, daß jeder Mann vor dem Mast mehr weiß als ich. Das nenne
ich nicht fair – Ihr etwa?«

»Nein«, erwiderte Dr. Livesey, »gewiß nicht.«

»Zunächst«, fuhr der Kapitän fort, »höre ich, daß wir auf
Schatzsuche gehen sollen – höre es von meiner eigenen Mann-
schaft, versteht wohl. Nun, Schatzsuche ist eine kritische Sache.
Ich liebe Schatzsucherfahrten ganz und gar nicht, und vor allen

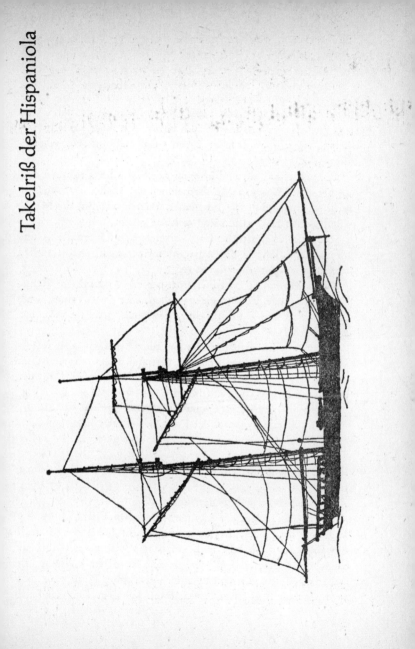

Takelriß der Hispaniola

Dingen liebe ich sie nicht, wenn sie geheim sind und wenn – bitte entschuldigt, Mr. Trelawney – das Geheimnis sogar dem Papagei mitgeteilt worden ist.«

»Silvers Papagei?« fragte der Squire.

»Das ist so eine Redensart«, antwortete der Kapitän, »rumgeschwätzt, will ich damit sagen. Meine Meinung ist, daß keiner von Euch Herren weiß, was Euch bevorsteht. Aber ich will Euch sagen, wie ich es ansehe: Leben oder Tod und ein scharfes Rennen!«

»Das ist alles klar, und ich muß sagen, durchaus richtig«, entgegnete Dr. Livesey. »Wir übernehmen das Risiko, aber wir sind nicht so unwissend, wie Ihr glaubt. Weiter sagt Ihr, die Mannschaft gefällt Euch nicht. Sind es keine guten Matrosen?«

»Sie gefallen mir nicht, Sir«, versetzte Kapitän Smollett, »und ich meine, ich hätte die Auswahl meiner Leute selbst treffen müssen, wenn Ihr schon davon redet.«

»Vielleicht hättet Ihr das«, antworte der Arzt. »Mein Freund hätte Euch vielleicht hinzuziehen sollen; aber dieser Fehler, wenn es einer war, ist nicht beabsichtigt gewesen. – Und Ihr mögt Mr. Arrow nicht?«

»Nein, Sir. Ich glaube, es ist ein guter Seemann, aber er gibt sich der Mannschaft gegenüber zu vertraulich, um ein guter Offizier zu sein. Ein Maat muß sich zurückhalten – er darf mit den Leuten vor dem Mast nicht trinken.«

»Meint Ihr, er trinkt?« erkundigte sich der Squire.

»Nein, Sir«, antwortete der Kapitän, »er ist nur zu familiär.«

»Schön also, Kapitän, kurz und gut, sagt uns, was Ihr wollt«, forschte der Arzt.

»Also, meine Herren, seid Ihr entschlossen, die Fahrt anzutreten?«

»Felsenfest«, erwiderte der Squire.

»Sehr gut«, sagte der Kapitän. »Nachdem Ihr mich geduldig angehört habt und ich Dinge vorgebracht habe, die ich nicht beweisen kann, so hört noch ein paar Worte mehr. Die Leute verstauen Pulver und Waffen in dem vorderen Kielraum. Ihr habt doch einen guten Platz unter der Kajüte. Warum sie nicht dort verstauen? – erster Punkt. Dann kommen vier von Euren eigenen Leuten mit, und man sagt mir, einige von ihnen sollen vorn einquartiert werden. Warum gebt Ihr ihnen nicht die Kojen hier neben der Kajüte? – zweiter Punkt.«

»Noch mehr?« fragte Mr. Trelawney.

»Noch einer«, fuhr der Kapitän fort. »Es ist schon zuviel geschwatzt worden.«

»Viel zuviel«, gab der Arzt zu.

»Ich will Euch sagen, was ich selbst gehört habe«, fuhr der Kapitän fort. »Daß Ihr die Karte einer Insel habt, daß auf der Karte Kreuze sind, die anzeigen, wo der Schatz liegt, und daß die Insel liegt –« und dann nannte er genau die Länge und die Breite.

»Das habe ich niemals gesagt!« rief der Squire. »Zu keiner Menschenseele!«

»Die Leute wissen es«, entgegnete der Kapitän.

»Livesey, das müßt Ihr oder Hawkins gewesen sein«, rief der Squire.

»Es hat nicht viel zu bedeuten, wer es war«, erwiderte der Arzt, und ich konnte erkennen, daß weder er noch der Kapitän viel auf Mr. Trelawneys Einspruch gaben, und ich tat es auch nicht, denn gewiß konnte er den Mund nicht halten. Aber in diesem Fall, glaube ich, war er wirklich im Recht, und niemand hatte die Lage der Insel verraten.

»Nun, meine Herren«, fuhr der Kapitän fort, »ich weiß nicht, wer die Karte in Händen hat, aber ich mache es zur Bedingung: Sie muß selbst vor mir und vor Mr. Arrow geheimgehalten werden. Sonst müßte ich Euch bitten, mich von meinem Posten zurücktreten zu lassen.«

»Ich verstehe«, sagte der Arzt. »Ihr wollt, daß wir die Sache geheimhalten und eine Festung aus dem Achterschiff machen, die wir mit meines Freundes eigenen Leuten besetzen und mit allen Waffen und allem Pulver versehen, das sich an Bord befindet. Mit anderen Worten, Ihr fürchtet eine Meuterei.«

»Sir«, entgegnete Kapitän Smollett, »ohne beleidigt sein zu wollen, spreche ich Euch das Recht ab, mir solche Worte in den Mund zu legen. Kein Kapitän, Sir, hätte das Recht, überhaupt in See zu gehen, wenn er Anlaß hätte, so etwas zu behaupten.

Und was Mr. Arrow angeht, so halte ich ihn für durchaus ehrenhaft. Einige Leute sind es auch; es mögen alle sein, soweit ich weiß. Aber ich bin verantwortlich für das Schiff und für das Leben eines jeden Mannes an Bord. Ich sehe, daß die Dinge, so wie ich meine, nicht richtig laufen, und ich bitte Euch, gewisse Vorkehrungen zu treffen oder mich auf meinen Posten verzichten zu lassen. Das ist alles.«

»Kapitän Smollett«, sagte der Arzt lächelnd, »habt Ihr jemals die Fabel von dem Berg und der Maus gehört? Entschuldigt bitte, aber Ihr erinnert mich an diese Fabel. Als Ihr hier hereinkamt, wolltet Ihr mehr sagen als das, dagegen wette ich meine Perücke.«

»Herr Doktor, Ihr seid schlau«, versetzte der Kapitän. »Als ich hierherkam, wollte ich um meine Entlassung bitten. Ich habe nicht geglaubt, daß Mr. Trelawney mich überhaupt anhören würde.«

»Niemals hätte ich das getan!« rief der Squire. »Wäre Dr. Livesey nicht hiergewesen, dann hätte ich Euch zum Teufel gejagt. Aber ich habe Euch nun einmal angehört und will tun, was Ihr verlangt. Aber darum denke ich nicht besser von Euch.«

»Das könnt Ihr halten, wie es Euch beliebt, Sir«, antwortete der Kapitän. »Ihr werdet sehen, daß ich meine Pflicht tue.«

Und damit verabschiedete er sich.

»Trelawney«, sagte der Arzt, »entgegen meinen Beobachtungen glaube ich, ist es Euch gelungen, zwei anständige Kerle an Bord zu bekommen – diesen Mann und John Silver.«

»Silver ja, wenn Ihr wollt«, rief der Squire, »aber was diesen unleidlichen Schwindler angeht, so erkläre ich, daß ich sein Benehmen für unmännlich, unseemännisch und im tiefsten Grunde unenglisch halte.«

»Schön«, erwiderte der Arzt, »wir werden ja sehen.«

Als wir an Deck kamen, hatten die Leute bereits begonnen, mit »Johoo!« Waffen und Pulver umzustauen, während der Kapitän und Arrow dabeistanden und sie beaufsichtigten.

Wir alle waren mit dem Umräumen des Pulvers und der Kojen stark beschäftigt, als die letzten paar Männer, darunter der lange John, in einem Boot längsseits kamen.

Geschickt wie ein Affe kletterte der Koch an der Bordwand hoch, und als er sah, was wir taten, rief er: »Hallo, Kameraden, was ist denn das?«

»Wir laden das Pulver um, Jack«, rief einer von ihnen.

»Herrgott, das Pulver!« rief der lange John. »Wenn wir das tun, werden wir die Morgentide versäumen.«

»Mein Befehl«, erwiderte der Kapitän kurz. »Geht nach unten, Mann. Die Leute wollen ihr Abendbrot haben.«

»Ay, ay, Sir«, antwortete der Koch und verschwand, indem er sich an die Stirn griff, sofort in Richtung der Kombüse.

»Das ist ein guter Mann, Kapitän«, sagte der Arzt.

»Kann schon sein, Sir«, erwiderte Kapitän Smollett. »Vorsichtig damit, Männer, vorsichtig!« wandte er sich an die Mannschaft, die das Pulver umlud. Und dann bemerkte er plötzlich mich, wie ich die kleine Kanone betrachtete, die wir mittschiffs hatten. »He, du, Schiffsjunge«, rief er, »weg da! Runter mit dir zum Koch, und mach dich nützlich!«

Und als ich mich schnell davonmachte, hörte ich ihn ganz laut zum Doktor sagen: »Protektionskinder mag ich auf meinem Schiff nicht.«

Ich kann euch versichern, daß ich ganz der Meinung des Squire war und den Kapitän aus Herzensgrund haßte.

Die Fahrt

Die ganze Nacht über waren wir sehr damit beschäftigt, alles an seinen richtigen Platz zu bringen, und ganze Bootsladungen mit den Freunden des Squire, Mr. Blandly und anderen, kamen längsseits, um ihm gute Fahrt und gesunde Heimkehr zu wünschen. Im »Admiral Benbow« haben wir nie eine Nacht gehabt, in der ich nur halb soviel zu arbeiten brauchte, und ich war hundemüde, als kurz vor Morgengrauen der Bootsmann pfiff und die Mannschaften die Spaken* des Gangspills besetzten. Ich hätte

* Spake: Hebebaum aus Holz

doppelt so müde sein können und hätte das Deck doch nicht verlassen. Alles war so neu und interessant für mich – die kurzen Kommandos, der schrille Ton der Pfeife und die Männer, die im Schein der Schiffslaternen an ihre Plätze hasteten.

»Los, Smutje, stimm ein Lied an!« rief eine Stimme.

»Das alte!« schrie ein anderer.

»Ay, ay, Kameraden«, antwortete der lange John, der mit der Krücke unter dem Arm dabeistand und plötzlich die Melodie und die Worte anstimmte, die mir so wohlbekannt waren:

»Fünfzehn Mann auf des toten Manns Kist«, und die ganze Mannschaft fiel im Chor ein:

»Johoo – und 'ne Buddel Rum!« und bei dem »hoo« schoben sie mit aller Macht die Spaken vor sich her.

Selbst in diesem erregenden Augenblick trugen mich meine Gedanken im Nu zurück zu dem alten »Admiral Benbow«, und ich glaubte die Stimme des Kapitäns im Chor mittönen zu hören. Aber schnell war der Anker gehievt und hing tropfend am Bug. Bald begannen die Segel zu schwellen; und das Land und die Schiffe zu beiden Seiten glitten vorüber.

Ich will diese Reise nicht in allen Einzelheiten beschreiben. Sie verlief im großen und ganzen glücklich. Das Schiff erwies sich als gut, die Mannschaft war tüchtig, und der Kapitän verstand sein Geschäft gründlich. Aber ehe wir auf die Höhe der Schatzinsel kamen, ereigneten sich einige Dinge, die ich berichten muß.

Mr. Arrow vor allem wurde, wie sich herausstellte, noch schlimmer, als der Kapitän befürchtet hatte. Er hatte keine Autorität bei der Mannschaft, und die Leute machten mit ihm, was sie wollten. Aber das war keineswegs das Schlimmste. Nach ein paar Tagen auf See erschien er schon mit verschleierten Blicken, geröteten Wangen, lallender Zunge und anderen Zeichen der Trunkenheit an Deck. Immer wieder wurde er zur Strafe nach unten geschickt. Bisweilen fiel er hin und verletzte sich, manchmal lag er den ganzen Tag in seiner kleinen Koje auf der einen Seite des Kajütenaufgangs. Dann wieder war er ein paar Tage völlig nüchtern und versah seinen Dienst wenigstens einigermaßen.

Indessen war es uns nicht möglich, herauszufinden, woher er zu trinken bekam. Das war das Geheimnis des Schiffes. Wir konnten

Decksplan der Hispaniola

Back

Niedergang zum Logis der Mannschaft

Vorluke

Apfeltonne

Fockmast

Fockrüst

Der Lange Tom (Drehgeschütz)

Zolle

Boote auf der Großluke

Großmast

verbreiterter Kajütniedergang

Großrüst mit Großwant

Ruderpinne

Achterdeck

ihn überwachen, soviel wir wollten, wir konnten es nicht lüften, und wenn wir ihn ins Gesicht hinein fragten, so lachte er nur, wenn er betrunken war, und wenn er nüchtern war, versicherte er feierlich, er trinke nie etwas anderes als Wasser.

Er war nicht nur unbrauchbar als Offizier und übte auf die Männer einen schlechten Einfluß aus, sondern es war auch klar, daß er sich auf diese Weise selbst ums Leben bringen mußte. So erregte es weder große Überraschung noch Trauer, als er in einer dunklen Nacht bei einer stürmischen See verschwand und nicht mehr gesehen ward.

»Über Bord!« sagte der Kapitän. »Nun, meine Herren, das überhebt uns der Mühe, ihn in Eisen legen zu müssen.«

Der Squire und Kapitän Smollett standen immer noch auf ziemlich gespanntem Fuß. Der Squire machte kein Wesens daraus. Er verachtete den Kapitän. Der Kapitän seinerseits redete nicht, wenn er nicht angesprochen wurde, und dann nur scharf und kurz und trocken und ohne ein überflüssiges Wort. Wenn er in die Enge getrieben wurde, gab er zu, sich hinsichtlich der Mannschaft vermutlich getäuscht zu haben. Einige seien so gut, wie er sie sich wünsche, und alle hätten sich ganz leidlich bewährt. Und was das Schiff anging, so hatte er eine ausgesprochene Schwäche dafür. »Es liegt noch einen Strich dichter am Wind, als ein Mann gerechterweise von seiner eigenen, ihm angetrauten Frau erwarten könnte, aber«, fügte er hinzu, »ich kann nur sagen: Wir sind noch nicht wieder zu Hause, und die Fahrt gefällt mir nicht.«

Dann pflegte der Squire ihm den Rücken zuzudrehen und an Deck auf und ab zu marschieren, die Nase in die Luft gereckt.

»Noch ein Lot mehr von dem Mann, und ich platze!« Das waren seine ständigen Worte.

Wir hatten wiederholt schweres Wetter, in dem sich die guten Eigenschaften der »Hispaniola« erwiesen. Jedermann an Bord schien guter Dinge zu sein, und sie hätten auch alle sehr anspruchsvoll sein müssen, wenn es anders gewesen wäre. Denn wie mir schien, war, seitdem Noah in See gegangen ist, keine Schiffsbesatzung so verwöhnt worden. Doppelte Grogrationen gab es bei dem geringsten Anlaß, Mehlpudding bei allen möglichen Gelegenheiten wie zum Beispiel, wenn der Squire hörte, es habe jemand Geburtstag, und im Mitteldeck stand immer eine angebrochene Apfeltonne, aus der sich jeder nach Belieben nehmen konnte.

»Ich habe noch nie gehört, daß daraus etwas Gutes gekommen ist«, sagte der Kapitän zu Dr. Livesey. »Verwöhnt man die Männer, macht man sie zu Teufeln. Das ist meine Meinung.«

Aber die Apfeltonne hatte ihre gute Seite, wie man noch hören wird, denn wäre sie nicht gewesen, hätten wir keine Warnung erhalten und wären alle durch Verrat umgekommen.

Das kam so.

Wir segelten mit den Passatwinden, um die Insel zu erreichen, zu der wir wollten – deutlicher kann ich mich nicht ausdrücken –, und liefen nun in freudiger Erwartung Tag und Nacht auf sie zu. Nach unserer Berechnung war es etwa der letzte Tag auf hoher See, und irgendwann in dieser Nacht oder spätestens am nächsten Tage um die Mittagszeit sollten wir die Schatzinsel sichten.

Eben nach Sonnenuntergang hatte ich meine Arbeit beendet und befand mich auf dem Wege zu meiner Koje. Da bekam ich zufällig Lust auf einen Apfel. Ich lief an Deck. Die Wache war vorn und hielt Ausschau nach der Insel. Der Mann am Ruder achtete darauf, daß er das Segel am Wind hielt, und pfiff leise vor sich hin, und das war der einzige Laut außer dem Plätschern der Meereswellen am Bug und an den Flanken des Schiffes.

Ich stieg ganz in die Apfeltonne hinein, und fand, daß kaum noch Äpfel darin waren. Aber als ich mich im Dunkeln niedergekauert hatte, schlief ich durch das Rauschen des Wassers oder das Wiegen des Schiffes ein oder war nahe daran, als sich ein schwerer Mann mit einem Krach dicht daneben niedersetzte. Die Tonne schwankte, als er sich dagegen lehnte, und ich wollte gerade herausspringen, als der Mann zu sprechen begann. Es war Silvers Stimme, und ehe ich ein Dutzend Worte verstanden hatte, hätte ich mich nicht um alles in der Welt blicken lassen, sondern lag zitternd und horchend in höchster Angst und Neugierde da, denn dieses Dutzend Worte sagte mir, daß von mir allein das Leben aller anständigen Leute an Bord abhing.

»Nein«, sagte Silver, »nicht ich, Flint war Kapitän. Ich war Quartiermeister, wegen meines Holzbeins. Durch dieselbe Breitseite, die mich mein Bein kostete, verlor der alte Pew sein Augenlicht. Das war ein Meisterchirurg, der mich amputierte – Universität und alles, Latein kübelweise und was sonst noch; aber er wurde gehängt wie ein Hund und an der Sonne gedörrt wie alle übrigen bei Corso Castle. Das waren Roberts Leute, und das kommt davon, wenn man den Schiffsnamen ändert – ›Royal Fortune‹ oder so. Denn wie ein Schiff getauft ist, so soll man es lassen, sage ich. So war es mit der ›Cassandra‹, die uns alle heil heimbrachte von Malabar, nachdem England den ›Vizekönig von Indien‹ gekapert hatte. So war es mit dem alten ›Walroß‹, Flints altem Schiff, das ich triefend von Blut und zum Sinken mit Gold beladen gesehen habe.«

»Ach«, rief eine andere Stimme, die des jüngsten Matrosen aus der Mannschaft und offenbar voller Bewunderung, »das war doch der Tollste von allen, dieser Flint!«

»Davis war auch ein Kerl, auf jeden Fall. Ich bin nie mit ihm gefahren. Zuerst mit England und dann mit Flint, das ist meine Geschichte, und jetzt bin ich hier auf eigene Rechnung, wie man so sagt. Neunhundert habe ich von England zurückgelegt und zweitausend von Flint. Das ist nicht schlecht für einen Mann vor dem Mast – alles sicher auf der Bank. Nicht aufs Verdienen kommt es an, sondern auf das Sparen, darauf kannst du dich verlassen. Wo sind jetzt Englands Leute alle? Ich weiß es nicht. Wo Flints? Nun, die meisten sind hier an Bord und froh, wenn sie ihren Mehlpudding bekommen – vorher sind sie betteln gegangen, einige wenigstens. Old Pew, der seine Augen verloren hat und es als eine Schande angesehen hätte, gab zwölfhundert Pfund im Jahr aus wie ein Lord im Parlament. Wo ist er jetzt? Ja, tot ist er und wohl versorgt. Aber zwei Jahre vorher hat der Mann gehungert. Er hat gebettelt und gestohlen und den Leuten den Hals abgeschnitten, und dabei hat er gehungert, weiß der Teufel.«

»Na, es bringt doch nicht viel ein, trotz allem«, meinte der junge Matrose.

»Narren bringt's nichts ein, verlaß dich drauf – das und auch sonst nichts«, rief Silver. »Aber jetzt schau mal her, du bist jung, das bist du, aber so schlau wie nur einer. Das hab ich erkannt, als ich dich das erstemal sah, und ich will mit dir reden wie mit einem Mann.«

Was ich empfand, als ich diesen abscheulichen alten Schurken einen anderen mit denselben schmeichlerischen Worten anreden hörte, die er auch für mich gehabt hatte, kann man sich leicht vorstellen. Inzwischen sprach er weiter, ohne zu ahnen, daß er belauscht wurde.

»So ist das mit den Glücksrittern. Sie leben hart und riskieren stets, gehängt zu werden, aber sie essen und trinken wie Kampfhähne, und wenn eine Fahrt zu Ende ist, nun, so haben sie Hunderte von Pfunden in der Tasche statt ebenso viele Pennies. Na, das meiste geht weg für Rum und ein gutes Leben, und dann geht's im Hemd wieder zur See. Aber das ist nicht der Kurs, den ich steure. Ich lege alles beiseite, etwas hierhin und etwas dorthin, nirgendwo zuviel, um keinen Verdacht zu wecken. Ich bin fünfzig, denk daran, und wenn ich von dieser Fahrt zurück bin, etablier ich mich allen Ernstes als Gentleman. Und wie hab ich angefangen? Vor dem Mast, wie du!«

»Schön«, erwiderte der andere, »aber das übrige Geld ist doch nun weg, oder nicht? Nach dieser Fahrt dürft Ihr Euch in Bristol doch nicht mehr sehen lassen.«

»Na, wo denkst du denn, wo es ist?« fragte Silver spöttisch.

»In Bristol auf mehreren Banken und an anderen Stellen«, entgegnete sein Kamerad.

»Da war es«, antwortete der Koch. »Da war es, als wir den Anker hievten. Aber jetzt hat es schon meine alte Dame. Und das ›Fernrohr‹ ist verkauft, mit Pachtvertrag, Kundschaft und Takelung, und das alte Mädchen ist auf und davon, um sich später mit mir zu treffen.«

»Und könnt Ihr Eurer Frau vertrauen?« fragte der andere.

»Glücksritter trauen sich im allgemeinen wenig«, erwiderte der Koch, »und damit haben sie recht. Aber ich habe so meine eigene Methode, die hab ich. Wenn ein Kamerad Leine ziehen will – einer, der mich kennt, meine ich –, so kann das nicht mit dem alten John in derselben Welt geschehen. Es gab welche, die hatten Angst vor Pew, und andere, die fürchteten sich vor Flint, aber Flint selber hatte Angst vor mir. Dabei war er ein gefürchteter und verwegener Mann. Das war die tollste Mannschaft auf dem Meer, die von Flint. Der Teufel selbst hätte Angst gehabt, mit der auf Fahrt zu gehen. Nun ja, ich bin kein Angeber, und du siehst ja selbst, wie umgänglich ich bin. Ja, im Schiff des alten John kannst du deiner schon sicher sein.«

»Na, ich kann es Euch jetzt ja sagen«, entgegnete der Junge. »Ich habe nicht für einen Penny von dem Geschäft gehalten, bis ich dieses Gespräch mit Euch hatte, John. Aber jetzt meine Hand drauf.«

»Und du bist ein tapferer Junge und schlau dazu«, antwortete Silver und schüttelte ihm die Hand so heftig, daß die Tonne wackelte, »und ein feineres Exemplar von einem Glücksritter ist mir noch nicht vor die Augen gekommen.«

Inzwischen war mir die Bedeutung ihrer Ausdrücke aufgegangen. Unter einem »Glücksritter« verstanden sie nichts mehr und nichts weniger als einen ganz gewöhnlichen Seeräuber, und die kleine Szene, die ich mit angehört hatte, war der letzte Akt der Verführung eines der anständigen Männer, vielleicht des letzten, der an Bord übriggeblieben war. Über diesen Punkt jedoch sollte ich bald Gewißheit erhalten, denn als Silver einen leisen Pfiff ertönen ließ, tauchte ein dritter Mann auf und setzte sich dazu.

»Dick macht mit«, sagte Silver.

»Ach, das hab ich gewußt«, erwiderte die Stimme des Beibootsführers Israel Hands. »Das ist kein Narr, der Dick!« Und er schob seinen Priem in die andere Backe und spuckte aus. »Aber nun hör mal, Smutje«, fuhr er fort, »wie lange sollen wir noch weiter so auf und ab laufen wie ein verfluchtes Proviantboot? Allmählich hab ich genug von Käpt'n Smollet. Er hat mich lange genug geschliffen, weiß der Teufel. Jetzt möcht ich in der Kajüte wohnen. Ich möchte denen ihr Eingekochtes, ihren Wein und alles das haben.«

»Israel«, sagte Silver, »du hast nicht viel Verstand in deinem Kopf, den hast du nie gehabt. Aber ich nehme an, du kannst hören; wenigstens sind deine Ohren groß genug dazu. Jetzt paß auf, was ich dir zu sagen habe: Du wirst weiter vorne schlafen und weiter hart leben und bescheiden sprechen, du wirst nüchtern bleiben, bis ich das Kommando gebe, darauf kannst du dich verlassen, mein Sohn.«

»Na, ich sag ja nicht nein, oder?« knurrte der Beibootsführer. »Ich frage ja nur, wann? Das ist's, was ich zu sagen habe.«

»Wann! Zum Teufel!« rief Silver. »Gut, wenn du es genau wissen willst, werd ich dir sagen, wann. Im letzten Augenblick, in dem ich es einrichten kann, das ist wann! Wir haben einen erstklassigen Seemann, Käpt'n Smollett, der das Schiff für uns führt. Dann haben wir den Squire und den Doktor mit einer Karte und so – ich weiß nicht, wo sie ist, oder wie? Und du auch nicht, sagst du. Nun also, ich meine, der Squire und der Doktor sollen erst mal das Zeug finden und uns helfen, es an Bord zu bringen, zum Teufel. Dann werden wir weitersehen. Wenn ich mich auf euch alle verlassen könnte, ihr zweimal verfluchten Schweinehunde, so ließe ich Käpt'n Smollett noch den halben Weg zurück navigieren, ehe ich losschlüge.«

»Na, wir sind doch alle Seeleute hier an Bord, nehm ich an«, bemerkte der junge Dick.

»Wir sind alle Vorderkastellmatrosen, meinst du«, fuhr Silver ihn an. »Wir können einen Kurs steuern, aber wer gibt ihn an? Das ist die Sache, an der ihr Herren alle scheitern würdet. Wenn es nach meinem Willen ginge, ließe ich Käpt'n Smollett uns wenigstens zurück bis in die Passatwinde bringen, dann hätten wir keine verfluchten falschen Berechnungen und einen Löffel voll Wasser am Tage. Aber ich kenne ja eure Sorte. Ich werde sie alle auf der Insel erledigen, sobald wir den Zaster an Bord haben, wenn's auch jammerschade ist. Aber ihr seid ja nicht glücklich, ehe ihr nicht besoffen seid. Weiß der Teufel, mir wird übel, wenn ich mit euresgleichen fahren soll.«

»Ruhig Blut, langer John«, rief Israel. »Wer kommt dir denn in die Quere?«

»Na, wie viele stolze Schiffe, denkst du denn, habe ich schon entern gesehen? Und wie viele flinke Jungs auf dem Richtplatz in der Sonne dörren?« schrie Silver. »Und alles nur wegen des gleichen ›eilig und eilig und eilig‹! Hört ihr mir zu? Ich habe schon einiges erlebt auf See. Wenn ihr nur euren Kurs richtig steuern und einen Strich beim Winde bleiben wolltet, dann würdet ihr in Kutschen fahren, ja, das würdet ihr. Aber ihr nicht! Ich kenne euch. Ihr wollt morgen den Hals voll Rum haben und dann hängen.«

»Jedermann weiß, daß du ein Stück von einem Kaplan bist, John. Aber es hat auch andere gegeben, die ebensogut schaffen und steuern konnten wie du«, erwiderte Israel. »Sie mochten aber einen Spaß, jawohl. Sie waren nicht so hochmütig und trocken wie du, sondern machten sich ein lustiges Leben, wie vergnügte Kameraden, jeder von ihnen.«

»So!« entgegnete Silver. »Schön, und wo sind sie jetzt? Pew war von der Sorte, und er starb als Bettler. Flint war so einer, und er ging am Rum ein in Savannah. Ja, es war eine lustige Mannschaft, das stimmt – aber wo sind sie?«

»Aber«, fragte Dick, »wenn wir sie dwars* legen, was sollen wir dann mit ihnen machen?«

»Du bist mir der Richtige!« rief der Koch bewundernd. »Das nenne ich Geschäft! Ja, wie denkst du denn darüber? Sie aussetzen wie Meuterer? So hätte England es gemacht. Oder sie abschlachten wie Schweine? Das wäre Flints oder Billy Bones' Methode gewesen.«

»Billy war der richtige Mann dafür«, sagte Israel. »Tote Hunde beißen nicht, pflegte er zu sagen. Na, jetzt ist er selbst tot, jetzt weiß er es ganz genau. Und wenn je ein Rauhbein in den Hafen eingelaufen ist, dann war es Billy.«

»Recht hast du«, sagte Silver, »rauh und flink bei der Hand. Aber merk es dir, ich bin ein ruhiger Mensch, aber diesmal ist es Ernst. Pflicht ist Pflicht, Kameraden. Ich stimme für – Tod. Wenn ich erst im Parlament sitze und in meiner Kutsche fahre, dann möchte ich nicht, daß einer von diesen Seeadvokaten aus der Kajüte unvorhergesehen nach Hause kommt. Was ich sage, ist: abwarten; aber wenn die Zeit da ist, kaltmachen.«

»John«, rief der Beibootsführer, »du bist ein Kerl!«

* Quer, querüber (Anmerkung des Übersetzers).

»Das kannst du erst sagen, Israel, wenn du es erlebst«, er-widerte Silver. »Nur einen verlange ich für mich – Trelawney. Mit diesen meinen Händen möchte ich diesem Kalb das Genick rumdrehen. Dick!« unterbrach er sich. »Spring doch mal auf, sei so gut, und hol' mir einen Apfel, damit ich meine trockene Kehle etwas anfeuchten kann.«

Man wird sich meinen Schrecken vorstellen können. Ich wäre hinausgesprungen und davongelaufen, hätte ich die Kraft dazu gehabt. Aber meine Glieder und mein Herz versagten mir den Dienst. Ich hörte, wie Dick aufstehen wollte, und dann hielt ihn offenbar jemand zurück, und Hands' Stimme sagte: »Ach, laß das doch. Aus diesem Faß wirst du doch nicht saufen wollen. Gib uns lieber 'ne Runde Rum aus.«

»Dick«, sagte Silver, »dir vertrau ich. Denk dran, ich hab mir ein Zeichen an dem Fäßchen gemacht. Hier ist der Schlüssel. Füll eine Kanne ab und bring sie her.«

Dick blieb nur eine kleine Weile aus, und während seiner Ab-wesenheit sprach Israel weiter in das Ohr des Kochs. Nur ein paar Worte konnte ich verstehen, und doch schnappte ich einige wichtige Neuigkeiten auf, außer anderen Bruchstücken hörte ich den ganzen Satz: »Von den anderen will keiner mittun.« Dem-nach waren noch zuverlässige Männer an Bord.

Als Dick zurückkehrte, nahm einer nach dem anderen die Kanne und trank – der eine »auf gutes Gelingen!«, der andere »auf den alten Flint!«, und Silver selbst brachte in singendem Ton den Trinkspruch aus:

»Halt dicht am Wind, damit es gelingt.

Ich trink auf uns selbst, daß Beute uns winkt.«

In diesem Augenblick fiel auf mich in dem Faß ein hellerer Schimmer, und als ich hochblickte, sah ich, daß der Mond auf-gegangen war. Und fast gleichzeitig rief die Stimme vom Aus-guck: »Land ahoi!«

Auf Deck gab es ein großes Getrampel. Ich konnte hören, wie die Leute aus der Kajüte und aus dem Vorderkastell hervorstolperten. Im Nu schlüpfte ich aus meiner Tonne, verschwand hinter dem Focksegel und verdrückte mich zum Heck hin, wo ich gerade rechtzeitig auf dem offenen Deck ankam, um mich Hunter und Dr. Livesey anzuschließen, die nach der Luvseite rannten.

Da waren alle Mann bereits zusammengelaufen. Mit dem Aufgehen des Mondes hatte sich die Nebelbank fast aufgelöst. Weit im Südwesten vor uns sahen wir in einer Entfernung von einigen Meilen zwei niedrige Berge, und hinter dem einen ragte ein dritter, höherer empor, dessen Gipfel noch vom Nebel verhüllt war. Alle drei schienen steil und kegelförmig.

Soviel sah ich fast wie im Traum, denn ich hatte mich von der furchtbaren Angst, die ich einige Minuten vorher ausgestanden hatte, noch nicht wieder erholt. Und dann hörte ich Kapitän Smolletts Stimme Befehle geben.

Die »Hispaniola« wurde einige Strich näher an den Wind gebracht, und segelte nun einen Kurs, mit dem sie auf die Ostseite der Insel zulief.

»Und jetzt, Männer«, sagte der Kapitän, als alle Leinen angeholt waren, »hat jemand von euch das Land voraus schon einmal gesehen?«

»Ich, Sir«, antwortete Silver. »Ich habe dort einmal mit einem Kauffahrer, auf dem ich Koch war, Wasser eingenommen.«

»Der Ankergrund liegt im Süden, hinter einem Eiland, glaube ich«, fuhr der Kapitän fort.

»Jawohl, Sir, Skelettinsel nennt man sie. In früheren Zeiten war das ein Hauptplatz für Seeräuber, und ein Mann, den wir an Bord hatten, kannte alle Namen. Der Berg im Norden heißt der Fockmastberg. Es gibt drei Berge, Sir, in einer Reihe, die nach Süden verläuft: Fockmast-, Großmast- und Besanmastberg. Aber der Großmastberg, das ist der hohe, mit den Wolken drauf, den nennen sie im allgemeinen das Fernrohr, nach einem Ausguck, den sie dort hatten, wenn sie am Ankerplatz kielholten*, denn dort haben sie ihre Schiffe gesäubert, mit Verlaub, Sir.«

»Ich habe hier eine Karte«, sagte Kapitän Smollett. »Seht mal her, ob das der Platz ist.«

Des langen Johns Augen brannten vor Begierde, als er die Karte in die Hand nahm, aber an dem frischen Aussehen des Papiers erkannte ich, daß er eine Enttäuschung erleben würde. Das war nicht die Karte, die wir in Billy Bones' Kiste gefunden hatten, sondern eine genaue Kopie, vollständig in allen Einzelheiten – Namen, Höhen und Lotungen –, mit der einzigen Ausnahme der roten Kreuze und der geschriebenen Anmerkungen. Aber so groß sein Ärger sein mochte, so hatte Silver doch die Willenskraft, ihn zu verbergen.

»Jawohl, Sir«, sagte er, »das ist der Platz, auf jeden Fall, und sehr fein gezeichnet. Wer das gemacht haben mag, möchte ich wissen. Die Seeräuber waren zu ungebildet, schätz ich. Ja, hier ist es: ›Käpt'n Kidds Ankerplatz‹ – genau der Name, den mein Kamerad genannt hat. Es gibt da eine starke Strömung, die hier entlang nach Süden und im Westen wieder nach Norden verläuft.«

»Ich danke Euch, mein Lieber«, entgegnete Kapitän Smollett. »Später werde ich Euch wieder bitten, uns behilflich zu sein. Jetzt könnt Ihr gehen.«

Kapitän Smollett, der Squire und Dr. Livesey unterhielten sich auf dem Achterdeck miteinander, aber so eilig ich es hatte, ihnen meine Geschichte zu erzählen, so konnte ich sie doch nicht so offen unterbrechen. Während ich noch darüber nachdachte, eine glaubwürdige Entschuldigung zu finden, rief Dr. Livesey mich zu sich. Er hatte seine Pfeife unten gelassen und wollte mich schikken, sie zu holen. Sobald ich nahe genug bei ihm war, um unbelauscht mit ihm sprechen zu können, stieß ich hervor: »Herr Doktor, ich muß mit Euch sprechen. Geht mit dem Kapitän und dem Squire hinab in die Kajüte und laßt mich unter einem Vorwand holen. Ich habe furchtbare Neuigkeiten.«

* Reinigen des Schiffsrumpfes, indem das Schiff stark auf die Seite gelegt wird (Anmerkung des Übersetzers).

Der Arzt wechselte für einen Augenblick den Gesichtsausdruck, aber sofort hatte er sich wieder gefaßt.

»Ich danke dir, Jim. Das war alles, was ich wissen wollte«, sagte er laut, als hätte er eine Frage an mich gerichtet.

Damit wandte er sich um und trat wieder zu den beiden anderen. Sie sprachen eine Weile miteinander, und obgleich keiner von ihnen stutzte oder die Stimme erhob, war ich mir völlig klar, daß Dr. Livesey ihnen meine Bitte mitgeteilt hatte, denn das nächste, was ich hörte, war ein Befehl, den der Kapitän Job Anderson gab, und es wurde »Alle Mann an Deck« gepfiffen.

»Jungs«, begann Kapitän Smollett. »Ich habe euch ein paar Worte zu sagen. Das Land, das wir gesichtet haben, ist das Ziel unserer Reise. Mr. Trelawney, der, wie wir alle wissen, ein sehr freigebiger Herr ist, hat mich gerade einiges gefragt, und ich habe ihm sagen können, daß jeder Mann an Deck und im Takelwerk seine Pflicht getan hat, wie ich es nicht besser hätte verlangen können, und so werden er und ich und der Doktor hinab in die Kajüte gehen, um auf eure Gesundheit und auf euer Glück zu trinken, und für euch soll Grog ausgegeben werden, damit ihr auf unsere Gesundheit und unser Glück trinken könnt. Ich will euch sagen, wie ich das finde: Ich finde es schön. Und wenn ihr so denkt wie ich, so bringt auf den Herrn, der so handelt, ein kräftiges Hurra aus!«

Das Hurra folgte, das verstand sich von selbst, aber es klang so laut und herzlich, daß ich zugebe, ich mochte kaum glauben, daß dieselben Männer sich gegen unser Leben verschworen hatten.

»Noch ein Hurra für Käpt'n Smollett!« schrie der lange John, als das erste verklungen war.

Auch dieses wurde ebenso freudig ausgebracht.

Dann gingen die drei Herren nach unten, und bald darauf wurde jemand geschickt mit der Nachricht, Jim Hawkins werde in der Kajüte verlangt.

Ich fand sie alle drei um den Tisch sitzend, eine Flasche spanischen Wein und ein paar Rosinen vor sich. Der Arzt zog in einem fort an seiner Pfeife und hielt seine Perücke auf dem Schoß. Das war, wie ich wußte, ein Zeichen dafür, daß er erregt war.

»Nun, Hawkins«, begann der Squire, »du hast uns etwas zu sagen. Heraus damit.«

Ich tat, wie mir befohlen war, und gab, so kurz es ging, die Unterhaltung Silvers in allen Einzelheiten wieder.

»Jim«, sagte Dr. Livesey, »setz dich.«

Und dann ließen sie mich neben sich am Tisch Platz nehmen, gossen mir ein Glas Wein ein, füllten mir die Hände mit Rosinen und tranken alle drei, einer nach dem anderen, jeder mit einer Verbeugung, auf meine Gesundheit, mein Wohlergehen, meinen Mut und den guten Dienst, den ich ihnen erwiesen hatte.

»Also Kapitän«, begann der Squire, »Ihr hattet recht und ich unrecht. Ich gebe zu, daß ich ein Esel war, und erwarte Eure Anordnungen.«

»Kein größerer Esel als ich, Sir«, entgegnete der Kapitän. »Ich habe noch nie von einer Mannschaft gehört, die eine Meuterei beabsichtigte, ohne daß sie vorher irgendwelche Anzeichen erkennen ließ, so daß ein Mann, der Augen im Kopf hat, das Unheil sieht und entsprechende Schritte unternehmen kann. Aber diese Mannschaft ist mir über.«

»Kapitän«, sagte der Arzt, »mit Eurer Erlaubnis, das ist Silver. Ein ganz erstaunlicher Mann.«

»Er würde sich erstaunlich gut an einer Rah baumelnd ausnehmen, Sir«, erwiderte der Kapitän. »Aber das sind Redereien; das führt zu nichts. Ich sehe drei oder vier Punkte, und mit Mr. Trelawneys Erlaubnis will ich sie nennen.«

»Ihr, Sir, seid der Kapitän. An Euch ist es, zu reden«, entgegnete Mr. Trelawney großartig.

»Erster Punkt«, begann Kapitän Smollett. »Wir müssen vorwärts, denn zurück können wir nicht mehr. Wenn ich Befehl gäbe zu wenden, würden sie sofort meutern. Zweiter Punkt: Wir haben noch Zeit — wenigstens bis der Schatz gefunden ist. Dritter Punkt: Es gibt noch zuverlässige Leute. Nun, Sir, früher oder später wird es zum Losschlagen kommen, und meine Meinung ist die: Greifen wir die Gelegenheit beim Schopf, wie man sagt, und schlagen eines schönen Tages los, wenn sie es am wenigsten erwarten. Auf Eure eigenen Diener von zu Hause können wir doch rechnen, nehme ich an, Mr. Trelawney?«

»Wie auf mich selbst«, erklärte der Squire.

»Drei«, rechnete der Kapitän, »und wir selbst macht sieben, wenn wir Hawkins hier mitzählen. Und die zuverlässigen Matrosen?«

»Höchstwahrscheinlich Trelawneys eigene Leute«, sagte der Arzt, »die er selbst aufgelesen hat, ehe er auf Silver stieß.«

»Nein«, erwiderte der Squire, »Hands war einer von den meinigen.«

»Ich habe auch geglaubt, Hands hätte ich vertrauen können«, meinte der Kapitän.

»Und zu denken, daß sie alle Engländer sind!« fuhr der Squire auf. »Am liebsten möchte ich das ganze Schiff in die Luft sprengen, Sir!«

»Also meine Herren«, fuhr der Kapitän fort, »was ich zu sagen habe, ist nicht viel. Wir müssen scharf Ausguck halten. Das ist eine harte Zumutung für einen Mann, das weiß ich. Angenehmer wäre es, wenn's zum Losschlagen käme. Aber es hilft nichts, bis wir unsere Männer kennen. Beidrehen und auf guten Wind warten, das ist meine Meinung.«

»Jim hier«, sagte der Arzt, »kann uns mehr helfen als sonst irgend jemand. Die Männer haben keine Scheu vor ihm, und Jim ist ein aufgeweckter Junge.«

»Hawkins, ich setze unbegrenztes Vertrauen in dich«, fügte der Squire hinzu.

Bei diesen Worten empfand ich eine ziemliche Verzweiflung, denn ich kam mir sehr hilflos vor. Und doch sollte durch eine seltsame Verkettung der Umstände die Rettung tatsächlich von mir kommen. Inzwischen jedoch, wir mochten soviel reden, wie wir wollten, waren es nur sieben von den sechsundzwanzig, auf die wir uns bestimmt verlassen konnten; und von diesen sieben war einer ein Junge, so daß auf unserer Seite sechs Erwachsene gegen ihrer neunzehn standen.

Dritter Teil

Mein Abenteuer an Land

Wie mein Abenteuer an Land begann

Als ich am nächsten Morgen auf Deck kam, hatte das Aussehen der Insel sich völlig verändert. Obgleich die Brise sich jetzt ganz gelegt hatte, waren wir während der Nacht eine gute Strecke vorangekommen und lagen nun in einer Flaute etwa eine halbe Meile weit südöstlich vor der flachen Ostküste. Graue Wälder bedeckten einen großen Teil ihrer Oberfläche. Diese eintönige Färbung wurde in den niederen Teilen des Landes von Streifen gelber Sandbrüche und von vielen hohen Nadelbäumen unterbrochen, die teils einzeln, teils in Gruppen über die anderen hinausragten, aber die vorherrschende Farbe war monoton und trübselig. Oberhalb der Vegetation erhoben sich deutlich die Berge mit nackten Felsschroffen. Alle waren seltsam geformt, und das Fernrohr, mit einer Höhe von drei- oder vierhundert Fuß der höchste Berg auf der Insel, war der seltsamste. Auf fast allen Seiten stieg er fast senkrecht an und war am Gipfel plötzlich abgeschnitten wie ein Sockel für eine Statue.

Wir hatten eine harte Morgenarbeit vor uns, denn es wehte nicht das leiseste Lüftchen. So mußten die Boote ausgesetzt und bemannt werden, um das Schiff drei oder vier Meilen weit um die Spitze der Insel und durch die enge Einfahrt zu dem Hafen hinter der Skelettinsel zu bugsieren. Ich meldete mich freiwillig in eins der Boote, wo ich natürlich nichts zu tun hatte. Die Hitze war erstickend, und die Männer murrten grimmig über ihre Arbeit. Anderson befehligte mein Boot, und anstatt die Mannschaft in Zucht zu halten, schimpfte er ebenso laut wie die schlimmsten.

»Na«, sagte er mit einem Fluch, »ewig dauert das ja nicht!«

Ich hielt das für ein schlechtes Zeichen, denn bis zu diesem Tage waren die Männer flink und willig an ihre Arbeit gegangen, aber der bloße Anblick der Insel hatte schon die Bande der Disziplin gelockert.

Während der ganzen Einfahrt stand der lange John neben dem Mann am Ruder und leitete das Schiff. Er kannte die Passage wie seine Hosentasche, und obgleich der Mann in den Püttingen* immer mehr Wasser lotete, als in der Karte angegeben war, zögerte John nicht ein einziges Mal.

»Bei Ebbe ist das eine schwere Durchfahrt«, sagte er, »und diese Passage hier ist sozusagen mit dem Spaten gestochen.«

Wir blieben gerade dort liegen, wo auf der Karte der Anker eingezeichnet war, etwa eine Viertelmeile von jedem Ufer entfernt, das Hauptland auf der einen und die Skelettinsel auf der anderen Seite. Der Boden war reiner Sand. Das Auswerfen unseres Ankers scheuchte Wolken von Vögeln auf, die schreiend über den Wäldern kreisten, aber in weniger als einer Minute waren sie wieder eingefallen, und alles war wieder still.

Die Stelle war ganz von Land eingeschlossen und in den Wäldern vergraben. Die Bäume reichten hinab bis zur Hochwassermarke. Die Ufer waren meist flach, und in der Ferne ragten bald hier, bald dort Gipfel der Berge wie eine Art Amphitheater empor. Zwei kleine Flüsse, oder vielmehr zwei Sümpfe, mündeten in diesen Teich, wie man ihn nennen konnte, und das Laubwerk rings um diesen Küstenstrich leuchtete wie in giftigem Glanz. Vom Schiff aus konnten wir von dem Haus oder den Palisaden nichts sehen, denn sie waren ganz unter den Bäumen verborgen. Und wäre die Karte auf dem Kajütendeck nicht gewesen, wir hätten die ersten sein können, die, seit die Insel aus dem Meer emporgestiegen war, jemals dort ankerten.

Ein eigenartiger, dumpfer Geruch hing über dem Ankerplatz, ein Geruch von nassem Laub und vermoderten Baumstämmen. Ich sah, wie der Arzt schnüffelte und schnupperte, wie jemand, der ein verdorbenes Ei schmeckt.

* Starke eiserne Ketten, mit denen die Wanten, die seitlichen Haltetaue der Masten, an der Bordwand befestigt sind (Anmerkung des Übersetzers).

»Von Schätzen verstehe ich zwar nichts«, sagte er, »aber ich will meine Perücke wetten, daß es hier Fieber gibt.«

War das Benehmen der Leute schon in den Booten beunruhigend gewesen, so wurde es wirklich bedrohlich, als sie wieder an Bord kamen. Sie lagen auf Deck und unterhielten sich murrend. Der geringste Befehl wurde mit finsteren Blicken entgegengenommen und widerstrebend und nachlässig ausgeführt. Sogar die anständigen Männer mußten angesteckt sein, denn keiner an Bord benahm sich besser als der andere. Es war offensichtlich: Wie eine Gewitterwolke hing eine Meuterei über uns.

Und nicht nur wir von der Kajütenpartei bemerkten die Gefahr. Der lange John gab sich große Mühe, ging von Gruppe zu Gruppe und erschöpfte sich in guten Ratschlägen, so daß niemand ein besseres Beispiel hätte geben können. Er übertraf sich geradezu an Diensteifer und Höflichkeit und hatte für jedermann ein Lächeln. Wurde ein Befehl gegeben, so war John im Nu auf seinen Krücken da mit dem denkbar freundlichsten »Ay, ay, Sir«, und gab es nichts anderes zu tun, so stimmte er ein Lied nach dem anderen an, wie um die Unzufriedenheit der Leute zu verhehlen.

Von all den düsteren Anzeichen dieses düsteren Nachmittags erschien mir diese offensichtliche Besorgnis des langen John als das schlimmste.

Wir hielten in der Kajüte eine Beratung ab.

»Sir«, begann der Kapitän, »wenn ich noch einen Befehl riskiere, kommt uns das ganze Schiff im Augenblick auf den Hals. Seht, Sir, die Sache liegt so: Ich bekomme eine grobe Erwiderung, nicht wahr? Schön, und wenn ich entsprechend antworte, sind im Handumdrehen die Messer raus. Tue ich's nicht, sieht Silver, daß etwas nicht stimmt, und das Spiel ist aus. Jetzt haben wir nur einen Mann, auf den wir uns verlassen können.«

»Und wer ist das?« fragte der Squire.

»Silver, Sir«, erwiderte der Kapitän. »Ihm liegt ebensoviel wie Euch und mir daran, die Sache beizulegen. Das Ganze ist ein Anfall von schlechter Laune. Er würde es ihnen bald ausreden, wenn er eine Gelegenheit dazu hätte, und ich schlage vor, ihm diese Gelegenheit zu geben. Laßt die Leute einen Nachmittag an Land gehen. Gehen sie alle, gut, so werden wir das

Schiff verteidigen. Geht keiner, schön, so halten wir die Kajüte, und Gott beschütze das Recht. Gehen aber nur einige – merkt Euch, was ich sage, Sir –, so wird Silver sie so zahm wie Lämmer wieder an Bord bringen.«

So wurde es beschlossen. Allen zuverlässigen Leuten wurden geladene Pistolen ausgehändigt. Hunter, Joyce und Redruth wurden ins Vertrauen gezogen und nahmen die Nachricht mit weniger Überraschung und besserer Haltung auf, als wir erwartet hatten. Dann ging der Kapitän auf Deck und sprach zu der Mannschaft.

»Jungs«, sagte er, »wir haben einen heißen Tag gehabt und sind alle müde und verdrießlich. Ein Landausflug wird niemandem schaden. Wer Lust hat, kann heute nachmittag an Land gehen. Eine halbe Stunde vor Sonnenuntergang werde ich einen Kanonenschuß abfeuern lassen.«

Ich glaube, die einfältigen Kerle müssen gedacht haben, sie würden sich die Schienbeine an den Schätzen stoßen, sobald sie nur an Land seien, denn im Augenblick vergaßen sie ihre schlechte Laune und schrien hurra, daß es an einem weit entfernten Berge widerhallte und die Vögel noch einmal aufscheuchte, so daß sie kreischend um den Ankerplatz flogen.

Der Kapitän war zu klug, um im Wege zu stehen. Im Augenblick war er außer Sicht und überließ es Silver, den Ausflug zu arrangieren. Ich glaube, es war gut so. Wäre er an Deck geblieben, so hätte er sich nicht länger so stellen können, als durchschaue er die Lage nicht. Es war sonnenklar, Silver war der Kapitän, und er hatte eine mächtig widerspenstige Mannschaft. Die anständigen Männer – und bald sollte ich sehen, daß es solche an Bord gab – müssen sehr dumme Burschen gewesen sein, oder vielmehr ich glaube, daß in Wirklichkeit alle Leute von dem Beispiel der Rädelsführer angesteckt waren, nur die einen mehr, die anderen weniger.

Aber schließlich war die Gesellschaft fertig zum Aufbruch. Sechs Mann sollten an Bord bleiben, und die übrigen einschließlich Silver begannen sich einzubooten.

Da geschah es plötzlich, daß mir der erste jener verrückten Einfälle in den Sinn kam, die soviel zu unserer Rettung beigetragen haben. Wenn Silver sechs Mann zurückgelassen hatte, war es klar, daß unsere Partei das Schiff nicht nehmen und verteidigen konnte, da es aber nur sechs waren, die zurückblieben, war es ebenso klar, daß die Kajütenpartei im Augenblick meine Hilfe nicht benötigte. So kam mir mit einemmal der Gedanke, an Land zu gehen. Im Nu war ich die Bordwand hinabgeentert, kauerte mich zwischen die vorderen Ruderbänke des ersten Bootes, und fast in demselben Augenblick stieß es ab.

Niemand nahm Notiz von mir, nur der Bugmann fragte: »Bist du es, Jim? Kopf weg!« Aber von dem anderen Boot blickte Silver scharf herüber und rief, ob ich es sei, und von diesem Augenblick an begann ich zu bedauern, was ich getan hatte.

Die Bootsbesatzungen veranstalteten ein Wettrudern zum Strand, aber da das Boot, in dem ich mich befand, einen kleinen Vorsprung hatte und überdies leichter und auch besser bemannt war, schoß es dem anderen weit voraus. Der Bug schob sich zwischen die Bäume am Ufer, ich ergriff einen Ast, schwang mich hinaus und tauchte im nächsten Dickicht unter, während Silver und die übrigen noch hundert Meter zurücklagen.

»Jim! Jim!« hörte ich ihn rufen.

Aber man wird sich denken können, daß ich nicht darauf achtete. Springend, mich bückend und mir einen Weg bahnend, lief ich immer geradeaus, bis ich nicht mehr konnte.

Der erste Schlag

Ich war so froh, dem langen John entwischt zu sein, daß ich ganz vergnügt wurde und anfing, mir die merkwürdige Gegend, in der ich mich befand, rings um mich her anzuschauen.

Ich empfand zum erstenmal die Lust des Forschens. Die Insel war unbewohnt, meine Schiffskameraden hatte ich weit hinter mir gelassen, und vor mir war nichts Lebendes als stumme Tiere und Vögel. Ich streifte zwischen den Bäumen umher. Hier und dort blühten mir unbekannte Pflanzen. Hin und wieder sah ich Schlangen, und eine richtete sich auf einer Felskante auf und zischte mich an mit einem Geräusch, das wie ein sich drehender Kreisel klang. Ich wußte nicht, daß dies ein tödlicher Feind und das Geräusch die berühmte Klapper war.

Dann kam ich zu einem langgestreckten Dickicht dieser eichen-artigen Bäume – immergrüne oder Steineichen nennt man sie, wie ich später erfuhr –, die wie Brombeerstauden niedrig im Sande wuchsen, die Zweige seltsam verschlungen und das Laub dicht wie ein Strohdach. Das Dickicht zog sich von der Spitze eines der Sandhügel hinab und erstreckte sich immer höher hin-auf bis an den Rand des breiten, schilfbewachsenen Moores, durch das der nächste der kleinen Flüsse seinen Weg zum Ankergrund suchte.

Mit einemmal lief es wie ein Raunen durch die Binsen. Schreiend flog eine Wildente auf, eine zweite folgte, und bald schwebte über dem ganzen Moor eine kreischende und kreisende Wolke von Vögeln. Sofort folgerte ich daraus, daß einige meiner Schiffskameraden am Rande des Moores näher kamen. Ich täuschte mich nicht, denn bald hörte ich sehr leise und aus großer Entfer-nung die Laute einer menschlichen Stimme, die, während ich weiterhorchte, sich näherte und immer lauter wurde.

Das jagte mir große Angst ein. Ich verkroch mich unter die nächste Steineiche, und dort hockte ich mäuschenstill und lauschte.

Eine zweite Stimme antwortete, und dann nahm die erste, die ich nun als die Silvers erkannte, die Rede wieder auf und klang eine ganze Weile, nur hin und wieder von der anderen unter-brochen, in einem fort weiter.

Schließlich schien es, als wenn die Redenden eingehalten und sich hingesetzt hätten, denn sie kamen nicht mehr näher, und auch die Vögel begannen sich zu beruhigen.

Und jetzt wurde in mir das Gefühl wach, daß ich meine Pflicht vernachlässigte, daß ich, wenn ich schon so tollkühn gewesen war, mit diesen Desperados an Land zu gehen, wenigstens so viel tun konnte, ihre Beratungen zu belauschen.

Die Richtung zu den Redenden hin konnte ich ziemlich genau feststellen, nicht nur am Klang ihrer Stimmen, sondern auch am Verhalten der wenigen Vögel, die immer noch aufgescheucht über den Köpfen der Eindringlinge kreisten.

Auf allen vieren arbeitete ich mich langsam, aber stetig an sie heran, bis ich schließlich, als ich den Kopf durch eine Öffnung zwischen den Blättern hob, in eine kleine grüne, von Bäumen dicht umsäumte Niederung neben dem Moor blicken konnte, wo der lange John Silver und ein anderer Mann der Besatzung sich im Gespräch gegenüberstanden.

Hell fiel das Sonnenlicht auf sie. Silver hatte seinen Hut neben sich auf den Boden geworfen und wandte dem anderen wie bittend sein großes, glattes, helles, von Hitze glänzendes Gesicht zu.

»Kamerad«, sagte er, »das ist nur, weil ich dich für goldrichtig halte – für goldrichtig, darauf kannst du dich verlassen. Wenn ich nicht an dir hinge wie Pech, glaubst du, ich wäre hier, um dich zu warnen? Alles ist perfekt, du kannst es weder ändern noch aufhalten. Nur um dir deinen Hals zu retten, rede ich hier, und wenn einer von den wilden Hunden es wüßte, wohin käme ich, Tom? Sag mir, wohin käme ich?«

»Silver«, entgegnete der andere – und ich beobachtete, daß er nicht nur ein hochrotes Gesicht hatte, sondern auch so heiser sprach wie eine Krähe und daß seine Stimme bebte wie ein gestrafftes Tau –, »Silver«, sagte er, »du bist alt und du bist anständig, wenigstens nennt man dich so, und du hast Geld, was viele arme Kerle nicht haben, und du bist tapfer, oder ich müßte mich sehr irren. Und du willst mir wirklich erzählen, du läßt dich von dieser Halunkenbande mitreißen? Du nicht, so wahr Gott mir helfe! Lieber würde ich meine Hand verlieren. Wenn ich meine Pflicht vergäße . . .«

Plötzlich wurde er durch einen Lärm unterbrochen. Ich hatte einen von den anständigen Männern gefunden – ja, und in demselben Augenblick erfuhr ich von einem anderen. Weit draußen im Moor erhob sich plötzlich ein Laut wie ein Wutschrei, darauf ein anderer und dann ein furchtbares, langgedehntes Kreischen. Die Felsen des Fernrohrs warfen das Echo wohl zwanzigmal zurück; aufs neue flog der ganze Schwarm der Sumpfvögel auf und verdunkelte den Himmel. Lange noch, nachdem die Ruhe wiedergekehrt war, gellte mir dieser Todesschrei in den Ohren.

Wie ein Pferd, dem man die Sporen gibt, war Tom bei dem Schrei zusammengefahren, aber Silver hatte nicht mit der Wimper gezuckt. Leicht auf seine Krücke gestützt, blieb er stehen, wo er stand, und beobachtete seinen Gefährten wie eine Schlange vor dem Sprung.

»John«, sagte der Matrose und streckte seine Hand aus.

»Hände weg!« rief Silver und sprang mit der Schnelligkeit und Geschicklichkeit eines geübten Turners einen Schritt zurück.

»Hände weg, wenn du es so willst, John Silver«, sagte der andere. »Das ist das schlechte Gewissen, das dir Furcht vor mir eingibt. Aber um Himmels willen, sag mir, was war das?«

»Das?« erwiderte Silver, immer noch lächelnd, aber verschlagener denn je; seine Augen in dem breiten Gesicht erschienen nur noch wie Stecknadelköpfe, aber funkelnd wie Glassplitter. »Das? Ach, das wird Alan sein, schätz ich.«

Da flammte der arme Tom auf wie ein Held.

»Alan!« rief er. »Dann sei Friede seiner aufrechten Seemannsseele! Und du, Silver, bist lange mein Kamerad gewesen, jetzt bist du es nicht mehr. Und wenn ich wie ein Hund sterbe, so will ich treu meiner Pflicht sterben. Du hast Alan umgebracht, oder etwa nicht? Bring mich auch um, wenn du kannst, aber ich trotze dir.«

Und damit drehte der brave Bursche dem Koch den Rücken zu und machte sich auf den Weg zum Strand. Aber er sollte nicht weit kommen. Mit einem Schrei griff John nach einem Baumast, schwang die Krücke aus seiner Achselhöhle und schleuderte dieses ungewöhnliche Wurfgeschoß sausend durch die Luft. Mit der Spitze voran traf es den armen Tom mit überraschender Wucht zwischen den Schulterblättern mitten in den Rücken. Seine Arme flogen empor, er stöhnte auf und stürzte zu Boden.

Ob er schwer oder nur leicht verletzt war, vermag niemand zu sagen. Aber es blieb ihm keine Zeit, sich aufzuraffen. Gelenkig wie ein Affe war Silver im nächsten Augenblick selbst ohne Bein und Krücke über ihm und stieß ihm sein Messer zweimal in den wehrlosen Rücken. Von meinem Versteck aus hörte ich ihn laut keuchen, als er zu den Stößen ausholte.

Ich weiß nicht genau, was eine Ohnmacht ist, aber ich weiß, daß eine Weile die Welt vor meinen Augen in einem strudelnden Nebel versank.

Als ich wieder zu mir kam, hatte das Ungeheuer sich bereits zusammengerafft, die Krücke unter dem Arm und den Hut auf dem Kopf. Gerade vor ihm lag Tom regungslos auf dem Rasen, aber der Mörder kümmerte sich keinen Deut um ihn und war dabei, sein blutbeflecktes Messer mit einem Grasbüschel abzuwischen. Ich konnte es kaum fassen, daß soeben vor meinen Augen wirklich ein Mord geschehen war.

Aber jetzt steckte John die Hand in die Tasche. Er zog eine Pfeife hervor und blies auf ihr eine Reihe abgestimmter Töne, die weit durch die heiße Luft schallten. Die Bedeutung des Signals verstand ich natürlich nicht, aber es jagte mir sofort Angst ein. Weitere Männer würden kommen. Ich konnte entdeckt werden. Zwei von den Anständigen hatten sie bereits erschlagen. Würde ich nach Tom und Alan der nächste sein?

Sofort begann ich, so schnell und leise ich konnte, nach der offenen Stelle des Waldes wegzukriechen. Währenddessen hörte ich zwischen dem alten Bukanier und seinen Kumpanen Rufe wechseln, und diese gefährlichen Laute verliehen mir Flügel. Sobald ich aus dem Dickicht heraus war, lief ich, wie ich nie zuvor gelaufen bin, wobei ich kaum auf die Richtung achtete. Und während ich lief, wurde meine Angst größer und größer.

Konnte wirklich ein Mensch verlorener sein als ich? Wenn der Schuß abgefeuert wurde, wie konnte ich es wagen, zu den Booten hinabzugehen in den Kreis der Feinde, deren Hände noch vom Blut ihrer Verbrechen rauchten? Würde nicht der erste, der mich sah, mir wie einer Schnepfe den Hals umdrehen? Würde nicht allein meine Abwesenheit für sie der Beweis meiner Furcht und damit meines verhängnisvollen Wissens sein?

Die ganze Zeit über lief ich wie gehetzt weiter. Ohne es zu merken, hatte ich mich dem Fuß des niedrigen Berges mit den beiden Gipfeln genähert und war in eine Gegend der Insel gekommen, wo die Steineichen in größeren Abständen wuchsen und in ihrer Form und Größe mehr Waldbäumen glichen. Vermischt mit ihnen wuchsen vereinzelte Fichten, einige von ihnen fünfzig, manche bis zu siebzig Fuß hoch. Auch die Luft war hier frischer als unten am Moor. Und hier brachte mich ein neuer Schrecken klopfenden Herzens zum Stehen.

Vom Abhang des Berges, der hier steil und steinig war, löste sich eine Handvoll Kiesel und stürzte polternd und hüpfend zwischen den Bäumen herab. Unwillkürlich wandte ich den Blick dorthin und sah eine Gestalt mit großer Geschwindigkeit hinter den Stamm einer Fichte springen. Was es war, ob Bär oder Mensch oder Affe, vermochte ich nicht zu sagen. Sie schien schwarz und zottig, mehr wußte ich nicht. Aber der Schreck über diese neue Erscheinung hemmte meine Schritte.

Nun war ich, wie es schien, von beiden Seiten abgeschnitten; hinter mir die Mörder, vor mir dieses lauernde unbekannte Wesen. Und augenblicklich war ich geneigt, die Gefahr, die ich kannte, der unbekannten vorzuziehen. Silver selbst erschien mir weniger schrecklich als dieses Waldwesen. Ich wandte mich um, und während ich über meine Schulter scharf nach rückwärts spähte, lenkte ich meine Schritte zurück zu den Booten.

Sofort erschien die Gestalt wieder und schickte sich an, mich in einem weiten Bogen zu umgehen. Natürlich war ich sehr ermüdet, aber wäre ich auch so frisch gewesen wie morgens beim Aufstehen, so hätte ich doch sehen können, daß ich einem solchen Gegner an Schnelligkeit nicht gewachsen war. Wie ein Hirsch schoß das Geschöpf von Stamm zu Stamm. Es lief wie ein Mensch auf zwei Beinen, aber anders als jeder, den ich bisher laufen gesehen hatte, da es sich dabei tief herabbückte.

Alles, was ich von Kannibalen gehört hatte, kam mir wieder in den Sinn. Ich war nahe daran, um Hilfe zu rufen, aber die bloße Tatsache, daß es ein Mensch war, wenn auch ein wilder, hatte mich wieder etwas beruhigt, und im gleichen Maße begann meine Furcht vor Silver wieder zuzunehmen. Ich blieb also stehen, um mir zu überlegen, wie ich entkommen konnte, und während ich so nachsann, erinnerte ich mich blitzartig meiner Pistole. Sobald ich mir bewußt wurde, nicht wehrlos zu sein, wuchs mein Mut wieder. Ich setzte also eine entschlossene Miene auf und ging kühn auf diesen Inselmenschen zu.

Jetzt hatte er sich hinter einem anderen Stamm versteckt, aber er mußte mich genau beobachtet haben, denn sobald ich auf ihn zuging, erschien er wieder und kam mir einen Schritt entgegen. Dann zögerte er von neuem, wich zurück, kam abermals näher und warf sich schließlich zu meiner Überraschung und Verwirrung auf die Knie und streckte mir flehend die gefalteten Hände entgegen.

Daraufhin blieb ich sofort stehen.

»Wer seid Ihr?« fragte ich.

»Ben Gunn«, antwortete er, und seine Stimme klang heiser und unbeholfen wie ein verrostetes Schloß. »Ich bin der arme Ben Gunn, der bin ich, und seit drei Jahren habe ich mit keinem Christenmenschen gesprochen.«

Jetzt sah ich, daß er ein Weißer war wie ich selbst und daß er ganz sympathische Gesichtszüge hatte, aber die Sonne hatte seine Haut da, wo sie unbedeckt war, verbrannt, sogar seine Lippen waren schwarz, und seine hellen Augen leuchteten furchterregend aus einem so dunklen Gesicht. Von allen Bettlern, die ich je gesehen oder mir vorgestellt hatte, war er der König der Zerlumptheit.

»Drei Jahre!« rief ich. »Habt Ihr Schiffbruch erlitten?«

»Nein, Kamerad«, erwiderte er, »ausgesetzt!«

Ich hatte den Ausdruck schon einmal gehört und wußte, daß er eine schreckliche Strafe bedeutete, wie sie unter den Bukaniern gang und gäbe war, wobei der Übeltäter mit einem kleinen Vorrat an Pulver und Blei an Land gesetzt und auf einer trostlosen einsamen Insel zurückgelassen wird.

»Ausgesetzt vor drei Jahren«, fuhr er fort, »und seitdem von Ziegen, Beeren und Austern gelebt. Wo ein Mann auch immer ist, sage ich, kann er sich helfen. Aber, Kamerad, mein Herz sehnt sich nach christlicher Nahrung. Hast du nicht zufällig ein Stück Käse bei dir? Nein? Ach ja, manche lange Nacht habe ich von Käse geträumt und wachte wieder auf und war hier.«

»Wenn ich je wieder an Bord komme«, erwiderte ich, »sollt Ihr einen ganzen Laib Käse bekommen.«

Die ganze Zeit über hatte er den Stoff meiner Jacke betastet, meine Hände gestreichelt, meine Schuhe betrachtet und in den Pausen seiner Rede ganz allgemein ein kindliches Vergnügen an der Gegenwart eines Mitmenschen bekundet. Aber bei meinen letzten Worten hob er mit einem Ausdruck überraschter Verschlagenheit den Kopf.

»Wenn du je wieder an Bord kommst, sagst du?« wiederholte er. »Ja, wer soll dich denn daran hindern?«

»Ihr nicht, das weiß ich«, war meine Antwort.

»Da hast du allerdings recht«, rief er. »Na, und du, wie heißt du denn, Kamerad?«

»Jim«, erwiderte ich.

»Jim! Jim!« sagte er, offenbar erfreut. »Also Jim, ich habe ein so rauhes Leben geführt, daß du dich schämen würdest, davon zu hören. Zum Beispiel, würdest du wohl glauben, daß ich eine fromme Mutter gehabt habe, wenn du mich so siehst?« fragte er.

»Nun – nein – eigentlich nicht«, antwortete ich.

»Ach ja«, fuhr er fort, »ausgesprochen fromm. Und das ist das Ende vom Lied, Jim, und mit Murmelspielen auf geweihten Grabsteinen hat's angefangen. Aber die Vorsehung war es, die mich hierhergebracht hat. Alles habe ich durchdacht hier auf der einsamen Insel, und ich bin wieder zurückgekehrt zur Frömmigkeit. Du wirst mich nicht erwischen, daß ich auch nur soviel Rum koste. Ich will gut sein, habe ich mir vorgenommen, und ich sehe auch den Weg dazu. Und, Jim« – er blickte um sich und senkte seine Stimme zu einem Flüstern –, »ich bin reich.«

Jetzt war ich überzeugt, daß der arme Kerl in seiner Einsamkeit den Verstand verloren hatte, und ich nehme an, daß ich diese Empfindung in meinen Mienen zum Ausdruck gebracht haben muß, denn er wiederholte hitzig seine Behauptung: »Reich! Reich! sage ich. Und ich will dir etwas sagen. Ich werde einen Mann aus dir machen, Jim. Ach, Jim, du wirst dein Schicksal segnen, gewiß, daß du der erste warst, der mich gefunden hat.«

Und dann überschattete sich plötzlich sein Gesicht. Er griff fest nach meiner Hand und hob drohend seinen Zeigefinger vor meine Augen.

»Jetzt sag mir die Wahrheit, Jim. Das ist doch nicht Flints Schiff?« fragte er.

Da hatte ich einen glücklichen Einfall. Mir kam die Ahnung, daß ich einen Verbündeten gefunden hatte, und ich antwortete ihm sofort.

»Das ist nicht Flints Schiff, und Flint ist tot. Aber ich will Euch so aufrichtig Auskunft geben, wie Ihr mich fragt: Es sind einige von Flints Leuten an Bord – zum Unglück für uns andere.«

»Doch nicht etwa ein Mann – mit einem – Bein?« keuchte er.

»Silver?« fragte ich.

»Ach Silver!« sagte er. »So hieß er.«

»Das ist der Koch und der Rädelsführer obendrein.«

Er hielt mich noch am Handgelenk, und jetzt verrenkte er es mir fast.

»Wenn du vom langen John geschickt bist, dann bin ich so gut wie Hackfleisch, das weiß ich. Aber was, meinst du, geschieht mit dir?«

Im Augenblick hatte ich meinen Entschluß gefaßt, und als Antwort erzählte ich ihm die ganze Geschichte unserer Reise. Mit höchstem Interesse hörte er zu, und als ich fertig war, tätschelte er mir den Kopf.

»Du bist ein guter Junge, Jim«, sagte er, »und ihr seid alle in einer Zwickmühle. Na, verlaßt euch nur auf Ben Gunn – Ben Gunn ist der richtige Mann dafür. Würdest du es für möglich halten, daß dein Squire sich großzügig zeigt, wenn ich ihm helfe – da er doch in einer Zwickmühle ist, wie du sagst?«

Ich sagte ihm, der Squire sei der großzügigste Mensch.

»Ja, aber du mußt verstehen«, entgegnete Ben Gunn, »ich meine es nicht so, daß er mir einen Portiersposten gibt und eine Livree und dergleichen – das ist nichts für mich, Jim. Was ich meine, ist das: Würde er vielleicht mit sich reden lassen über – sagen wir – tausend Pfund von dem Gold, das einem Mann jetzt schon so gut wie gehört?«

»Ich bin überzeugt, daß er das tun würde«, erwiderte ich. »So wie es abgemacht war, sollten alle Mann beteiligt sein.«

»Und die Heimreise?« fuhr er mit einem verschmitzten Seitenblick fort.

»Ach«, rief ich, »der Squire ist ein Gentleman. Und außerdem würden wir, wenn wir die anderen losgeworden sind, Euch als Hilfe benötigen, um das Schiff nach Hause zu bringen.«

»Ach ja«, sagte er, »das würdet ihr«, und er schien sehr erleichtert.

»Jetzt will ich dir etwas erzählen«, fuhr er fort. »Aber ich sage nur das und nicht mehr. Ich war auf Flints Schiff, als er den Schatz vergrub. Er und sechs dazu – sechs starke Matrosen. Sie waren fast eine Woche an Land, während wir übrigen auf der alten ›Walroß‹ hin und her kreuzten. Eines Tages ging das Signal hoch, und da kam Flint selbst in einem kleinen Boot, und sein Kopf war mit einem blauen Schal umwickelt. Die Sonne ging gerade auf, und er schaute leichenblaß über den Steven*. Aber er war da, stell dir vor, und die sechs alle tot – tot und begraben. Wie er es fertiggebracht hat, konnte keiner von uns an Bord herauskriegen. Das war eine Schlacht, Mord und Totschlag zum wenigsten – er gegen sechs. Billy Bones war der Maat, der lange John war Quartiermeister, und sie fragten ihn, wo der Schatz sei. ›Ach‹, sagte er, ›ihr könnt ja an Land gehen und dort bleiben, wenn ihr wollt‹, sagte er. ›Aber das Schiff geht weiter auf Jagd nach mehr, zum Donnerwetter!‹ Das war alles, was er sagte.

Nun, vor drei Jahren war ich auf einem anderen Schiff, und wir sichteten diese Insel. ›Jungs‹, sagte ich, ›hier liegt Flints Schatz. Laßt uns an Land gehen und ihn suchen.‹ Dem Kapitän paßte das nicht, aber meine Kameraden waren meiner Meinung, und wir gingen an Land. Zwölf Tage lang haben sie gesucht, und jeden Tag wurden sie wütender auf mich, bis eines schönen Morgens alle Mann an Bord gingen. ›Was dich angeht, Benjamin Gunn‹, sagten sie, ›hier ist eine Muskete‹, sagten sie, ›und ein Spaten und eine Spitzhacke. Du kannst hierbleiben und selber Flints Geld suchen‹, sagten sie.

Ja, Jim, drei Jahre lang bin ich hier gewesen, und keinen Bissen christlicher Nahrung von dem Tage an bis heute. Aber jetzt schau her, sieh mich an. Sehe ich aus wie ein Mann vor dem Mast? Nein, wirst du sagen. Ich bin nie einer gewesen, sage ich.«

Und damit zwinkerte er mir zu und kniff mich heftig.

»Genau diese Worte erwähnst du deinem Squire gegenüber, Jim«, fuhr er fort. »Er ist nie einer gewesen – das sind die Worte. Drei Jahre lang war der Mann auf der Insel, Tag und Nacht –

* Aufrechtstehender Abschlußbalken am Schiffsende.

sagst du –, aber das meiste von Gunns Zeit – das ist das, was du ihm sagen sollst –, aber das meiste von seiner Zeit ging drauf mit etwas anderem. Und dann kneifst du ihn so wie ich jetzt.«

Und damit kniff er mich höchst vertraulich.

»Dann«, fuhr er fort, »dann stehst du auf und sagst das: Gunn ist ein guter Mensch – sagst du –, und er blickt mit viel mehr riesigem Vertrauen auf einen geborenen Ritter als auf diese Glücksritter, von denen er selbst einer gewesen ist.«

»Schön«, erwiderte ich, »von dem, was Ihr mir gesagt habt, verstehe ich zwar kein Wort, aber das ist auch ganz einerlei, denn wie soll ich an Bord kommen?«

»Ach ja«, meinte er, »das ist der Haken, natürlich. Aber da ist noch mein Boot, das ich mit meinen eigenen Händen gemacht habe. Ich habe es unter dem weißen Felsen aufbewahrt. Wenn es zum Schlimmsten kommt, versuchen wir's, wenn es dunkel ist. Halt!« rief er. »Was ist das?«

In diesem Augenblick erwachten, obgleich die Sonne noch ein paar Stunden bis zum Untergehen hatte, alle Echos der Insel und gaben den Donner eines Kanonenschusses wieder.

»Sie haben den Kampf begonnen«, rief ich. »Folgt mir.«

Und ich vergaß alle Angst und lief zum Ankerplatz, während der Ausgesetzte in seinen Ziegenfellen leichtfüßig und schnell neben mir her eilte.

»Links, links«, sagte er, »halte dich links, Kamerad Jim. Unter die Bäume mit dir. Hier habe ich meine erste Ziege geschossen. Jetzt kommen sie nicht mehr hier herunter. Sie sind alle in den Mast geentert, auf die Berge dort, aus Angst vor Benjamin Gunn.«

So redete er weiter, während ich lief. Aber er bekam und erwartete wohl auch keine Antwort.

Auf den Kanonenschuß folgte nach einer langen Zeit eine Salve von Kleinfeuerwaffen.

Es dauerte noch eine Weile, und dann sah ich kaum eine Viertelmeile vor mir über den Bäumen die englische Flagge im Winde flattern.

Vierter Teil

Das Blockhaus

Der Arzt setzt den Bericht fort:
Wie das Schiff aufgegeben wurde

Es war gegen halb zwei, als die beiden Boote von der »Hispaniola« an Land ruderten. Der Kapitän, der Squire und ich besprachen in der Kajüte die Lage. Hätten wir nur einen Hauch von einer Brise gehabt, wir wären über die sechs Meuterer hergefallen, die mit uns an Bord geblieben waren, hätten das Ankertau geschlippt* und wären aufs Meer hinausgesegelt. Aber kein Lüftchen regte sich, und um unsere Hilflosigkeit zu vervollständigen, kam Hunter mit der Nachricht herab, Jim Hawkins sei in ein Boot gesprungen und mit den anderen an Land gegangen.

Wir dachten nicht daran, an Jim Hawkins zu zweifeln, aber wir fürchteten für seine Sicherheit. Bei der Stimmung, in der die Männer sich befanden, schien es uns durchaus wahrscheinlich, daß wir den Jungen nicht wiedersehen würden. Wir liefen auf Deck. Das Pech in den Fugen trieb Blasen, und der furchtbare Gestank des Ortes verursachte mir Übelkeit. Wenn je ein Mensch Fieber und Ruhr gerochen hat, so an diesem abscheulichen Ankerplatz. Knurrend saßen die sechs Halunken unter einem Segel auf dem Vorderdeck. An Land konnten wir die Boote dicht bei der Mündung des Flusses festgemacht sehen, und in jedem saß ein Mann.

Das Warten war eine Qual, und so wurde beschlossen, daß Hunter und ich in der Jolle an Land gehen sollten, um Erkundigungen einzuziehen.

Die Boote hatten sich nach rechts gehalten, aber Hunter und ich ruderten geradeaus in der Richtung, wo auf der Karte das Block-

---

* Auslaufen lassen, so daß es mit dem oberen Ende ins Wasser fällt
(Anmerkung des Übersetzers).

haus eingezeichnet war. Die beiden Wachen in ihren Booten schienen über unser Erscheinen verwirrt. Ich sah, wie sie sich überlegten, was sie tun sollten. Wären sie gegangen, um Silver zu benachrichtigen, so wäre vielleicht alles anders verlaufen. Aber sie hatten, wie ich annahm, ihre Befehle, und so entschlossen sie sich, ruhig sitzen zu bleiben, wo sie waren.

Die Küste machte einen leichten Bogen, und ich steuerte so, daß ich ihn zwischen uns und die Boote brachte und sie schon beim Landen aus unserem Blickfeld gekommen waren. Ich sprang hinaus und ging, so schnell ich es wagen konnte, vorwärts. Zur Kühlung hatte ich ein großes seidenes Tuch unter meinem Hut und zu meiner Sicherheit ein Paar schußbereite Pistolen in den Händen.

Ich war kaum hundert Schritte weit gegangen, als ich auf das Blockhaus stieß.

Das sah so aus: Fast auf der Höhe eines Hügels entsprang eine Quelle mit klarem Wasser. Auf dem Hügel nun und um die Quelle herum war ein festes Blockhaus errichtet, groß genug, um im Notfall vierzig Mann aufzunehmen, und auf jeder Seite mit Schießscharten versehen. Ringsherum hatten sie einen weiten Platz gerodet, und das Ganze war vervollständigt durch sechs Fuß hohe Palisaden, ohne Tür oder Öffnung, zu stark, als daß sie ohne Zeit und Mühe hätten niedergerissen werden können, und zu offen, um den Belagerern Schutz zu bieten.

Was meine Aufmerksamkeit besonders weckte, war die Quelle, denn obgleich wir in der Kajüte der »Hispaniola« ganz gut untergebracht waren mit reichlich Waffen und Munition, genügend Verpflegung und ausgezeichneten Weinen, so war doch eins übersehen worden – wir hatten kein Wasser. Während ich darüber nachdachte, scholl über die Insel der Todesschrei eines Mannes. Mir war ein gewaltsamer Tod nichts Fremdes – ich habe unter seiner Königlichen Hoheit dem Herzog von Cumberland gedient und bin selbst bei Fontenoy* verwundet worden –, aber ich weiß, daß mein Puls stockte. »Jim Hawkins ist erledigt!« war mein erster Gedanke.

---

* Sieg der Franzosen unter dem Marschall von Sachsen über die verbündeten Engländer, Holländer und Österreicher unter dem Herzog von Cumberland im Jahre 1745 (Anmerkung des Übersetzers).

Es hat etwas für sich, wenn man ein alter Soldat, aber noch mehr, wenn man Arzt gewesen ist. In unserem Beruf gibt es kein Zaudern. Und sofort faßte ich meinen Entschluß. Ohne Zeit zu verlieren, kehrte ich zum Strand zurück und sprang in die Jolle.

Glücklicherweise war Hunter ein guter Ruderer. Das Wasser zischte unter uns, bald waren wir längsseits und ich wieder an Bord des Schoners.

Natürlich fand ich alle tief erschüttert. Der Squire saß da, blaß wie ein Laken, da er an das Unheil dachte, das er über uns gebracht hatte, die gute Seele! Und einem der sechs Vorderkastellleute ging es kaum besser.

»Da ist einer«, meinte Kapitän Smollett und deutete mit dem Kopf zu ihm hin, »der in diesem Geschäft noch neu ist. Als er den Schrei hörte, ist er fast in Ohnmacht gefallen, Doktor. Noch einen Schlag mit dem Ruder, und der Mann kommt zu uns.«

Ich entwickelte dem Kapitän meinen Plan, und wir einigten uns über die Einzelheiten seiner Durchführung.

Den alten Redruth postierten wir mit drei oder vier geladenen Musketen und einer Matratze als Deckung in den Gang zwischen der Kajüte und dem Vorderkastell. Hunter brachte das Boot unter die Heckpforte, und ich machte mich mit Joyce daran, es mit Pulverbüchsen, Musketen, Zwiebacksäcken, Fleischtonnen, einem Fäßchen Kognak und meinem unersetzlichen Arzneikasten zu beladen.

Inzwischen blieben der Squire und der Kapitän an Deck, und der letztere rief den Beibootsfahrer an, der jetzt der rangälteste von den Männern war.

»Hands«, sagte er, »hier stehen wir beide, jeder mit einem Paar geladener Pistolen. Gibt einer von euch sechsen ein Warnungszeichen gleich welcher Art, so ist er ein Kind des Todes.«

Sie waren nicht wenig bestürzt, und nach einer kurzen Beratung stolperten sie einer nach dem anderen die vordere Luke hinab, zweifellos in der Absicht, uns in den Rücken zu fallen. Aber als sie Redruth sahen, der sie in dem versperrten Gang erwartete, machten sie sofort kehrt, und ein Kopf tauchte wieder an Deck auf.

»Runter mit dir, du Hund«, schrie der Kapitän.

Und der Kopf verschwand wieder, und eine Weile hörten wir nichts mehr von diesen hasenherzigen Seeleuten.

Inzwischen warfen wir die Dinge so, wie sie uns in die Hand kamen, in die Jolle und beluden diese, soweit wir es wagen konnten. Joyce und ich bestiegen durch die Heckpforte das Boot und fuhren zurück an Land, so schnell die Ruder es schafften.

Diese zweite Fahrt beunruhigte die Wächter am Ufer ziemlich. Gerade als wir sie hinter der kleinen Landspitze aus den Augen verloren, sprang einer von ihnen an Land und verschwand. Fast war ich gesonnen, meinen Plan zu ändern und ihre Boote zu zerstören, aber ich fürchtete, Silver und die anderen könnten in der Nähe sein und vielleicht sei alles verloren, wenn wir zuviel wagten.

Bald hatten wir an derselben Stelle wie vorhin das Ufer erreicht und gingen daran, das Blockhaus zu verproviantieren. Schwer beladen machten wir den ersten Weg zu dritt und warfen unsere Vorräte über die Palisade. Dann ließen wir Joyce als Wache dort – einen Mann allerdings nur, aber mit einem halben Dutzend Musketen –, und ich kehrte mit Hunter zur Jolle zurück, um uns noch einmal zu bepacken. So arbeiteten wir ohne Atempause, bis die ganze Ladung verstaut war. Dann bezogen die beiden Diener ihre Posten im Blockhaus, und ich ruderte aus Leibeskräften zur »Hispaniola« zurück.

Daß wir noch eine zweite Bootsladung riskierten, scheint gewagter, als es in Wirklichkeit war. Natürlich hatten sie die Übermacht der größeren Zahl, aber wir hatten den Vorteil der Waffen. Nicht einer der Männer an Land hatte eine Muskete, und ehe sie auf Pistolenschußweite an uns herankamen, konnten wir, wie wir uns schmeichelten, wenigstens ein halbes Dutzend von ihnen erledigen.

Der Squire erwartete mich am Heckfenster. Er hatte seine Schwäche völlig überwunden. Er bekam das Fangseil zu fassen, machte es fest, und wir beeilten uns ums liebe Leben, das Boot zu beladen. Aus Schweinefleisch, Pulver und Zwieback bestand die Fracht, dazu kam nur je eine Muskete und ein Entermesser für den Squire, für mich, Redruth und den Kapitän. Den Rest der Waffen und Munition warfen wir über Bord in zweieinhalb Faden* Tiefe, so daß wir den blanken Stahl auf dem sandigen Boden in der Sonne glänzen sehen konnten.

Um diese Zeit setzte die Ebbe ein, und das Schiff schwoite** um sein Ankertau. Aus der Richtung der beiden Boote hörten wir schwache Rufe, und wenn uns das auch hinsichtlich von Joyce und Hunter beruhigte, die sich weiter östlich befanden, so war es für unsere Partei doch ein Signal aufzubrechen.

Redruth zog sich von seinem Posten im Gang zurück und sprang ins Boot, das wir dann, um es Kapitän Smollett leichter zu machen, an die Heckgillung*** brachten.

»Also, Männer«, rief er, »hört ihr mich?«

Vom Vorschiff kam keine Antwort.

»Mit Euch, Abraham Gray – mit Euch spreche ich.«

Immer noch keine Antwort.

»Gray«, wiederholte Smollett etwas lauter, »ich verlasse dieses Schiff, und ich befehle Euch, Eurem Kapitän zu folgen. Ich weiß, daß Ihr im Grunde ein anständiger Kerl seid, und ich möchte sogar sagen, nicht einer von Euch allen ist so schlecht, wie er sich stellt. Hier habe ich meine Uhr in der Hand; ich gebe Euch dreißig Sekunden, Euch mir anzuschließen.«

Dann entstand eine Pause.

»Komm, mein Lieber«, fuhr der Kapitän fort. »Überleg dir's nicht so lange. In jeder Sekunde riskiere ich mein Leben und das dieser guten Herren.«

Plötzlich hörte man einen Tumult und das Geräusch von Schlägen. Heraus stürzte Abraham Gray, eine Messerwunde auf der Backe. »Ich gehe mit Euch, Sir«, sagte er.

Im nächsten Augenblick sprangen er und der Kapitän zu uns ins Boot, wir stießen ab und fuhren los.

Vom Schiff waren wir weg, aber noch nicht an Land und in unserem Blockhaus.

---

* Ein Faden ist ein seemännisches Längenmaß = etwa 1,80 m (Anmerkung des Übersetzers).
** Schwoien: vor dem Anker herumtreiben, sich drehen, eine neue Lage einnehmen.
*** Der nach innen gewölbte Teil der Außenplanken unterhalb des Decks (Anmerkung des Übersetzers).

Diese fünfte Fahrt verlief völlig anders als die vorherigen. Erstens war die Nußschale von einem Boot, in dem wir uns befanden, schwer überladen. Fünf erwachsene Männer – drei davon, Trelawney, Redruth und der Kapitän, über sechs Fuß groß – waren eine stärkere Belastung, als man ihm zumuten konnte. Dazu kamen das Pulver, das Schweinefleisch und die Brotsäcke. Mehrere Male schlug Wasser ins Boot, so daß meine Hosen und Rockschöße triefend naß wurden, ehe wir hundert Meter weit gekommen waren.

Der Kapitän ließ uns die Last richtig verteilen, und es gelang uns, die Lage des Bootes etwas zu verbessern. Trotzdem wagten wir kaum zu atmen.

Zweitens hatte jetzt die Ebbe eingesetzt; eine starke Strömung lief westwärts durch die Bucht und dann südwärts in die See die Durchfahrt entlang, durch die wir heute morgen gekommen waren. Sogar diese kleinen Wellen waren für unser überladenes Boot gefährlich; aber das schlimmste war, daß wir von unserem richtigen Kurs und von unserem Landeplatz hinter der Landspitze abgetrieben wurden. Wenn wir der Strömung nachgaben, mußten wir bei den Booten ans Ufer kommen, wo die Seeräuber jeden Augenblick auftauchen konnten.

»Ich kann den Bug nicht auf das Blockhaus zu halten, Sir«, sagte ich zu dem Kapitän. Ich steuerte, während er und Redruth, beides ausgeruhte Männer, an den Riemen saßen. »Die Tide treibt uns ab. Könnt Ihr nicht etwas stärker rudern?«

»Nicht ohne das Boot vollzuschlagen«, erwiderte er. »Ihr müßt dagegendrücken, Sir, bitte – dagegendrücken, bis Ihr seht, daß Ihr dagegen ankommt.«

Ich versuchte es und stellte fest, daß die Tide uns westwärts abzog, wenn ich den Bug nicht genau nach Osten oder genau im rechten Winkel zu dem Kurs richtete, den wir nehmen mußten.

»Auf diese Weise kommen wir nie an Land«, sagte ich.

»Wenn das der einzige Kurs ist, den wir halten können, Sir, dann müssen wir ihn eben steuern«, versetzte der Kapitän. »Wir müssen gegen die Strömung halten. Ihr müßt wissen, Sir, wenn wir erst einmal leewärts vom Landeplatz abtreiben, dann ist es schwer zu sagen, wo wir ans Ufer kommen, abgesehen von der Möglichkeit, daß wir von den Booten geentert werden. Auf dem Kurs dagegen, den wir halten, muß die Strömung nachlassen, so daß wir an der Küste entlang zurücksteuern können.«

»Die Strömung läßt schon nach«, bemerkte der Matrose Gray, der im Bug saß. »Ihr könnt schon etwas nachgeben.«

»Besten Dank, mein Lieber«, sagte ich, als ob nichts geschehen wäre.

Plötzlich sprach der Kapitän wieder, und mir war, als klänge seine Stimme verändert. »Die Kanone!« sagte er.

»Ich habe schon daran gedacht«, erwiderte ich, in der Meinung, er befürchte eine Beschießung des Blockhauses. »Sie bringen das Geschütz aber nicht an Land, und wenn schon, dann niemals durch den Wald.«

»Schaut mal rückwärts, Doktor«, entgegnete der Kapitän.

Wir hatten den langen Neunpfünder völlig vergessen, und nun waren zu unserem Entsetzen die fünf Halunken eifrig damit beschäftigt, ihm die Jacke auszuziehen, wie sie die dicke Segeltuchhülle nannten, die während der Fahrt darübergezogen war.

»Israel war Flints Kanonier«, sagte Gray heiser.

Auf jede Gefahr hin drehten wir den Bug des Bootes direkt auf den Landeplatz zu. Um diese Zeit waren wir so weit aus der Strömung heraus, daß wir selbst bei dem notwendigerweise leisen Rudern unseren Kurs zu steuern vermochten und ich das Boot stetig auf das Ziel halten konnte. Aber das schlimmste dabei war, daß wir der »Hispaniola« statt des Hecks unsere Breitseite zukehrten und so ein Ziel wie ein Scheunentor boten.

Ich sah und hörte, wie dieser Saufbruder Israel Hands eine Kanonenkugel auf das Deck plumpsen ließ.

»Wer ist der beste Schütze?« fragte der Kapitän.

»Auf jeden Fall Mr. Trelawney«, sagte ich.

»Mr. Trelawney, möchtet Ihr bitte einen von diesen Burschen abknallen? Hands, wenn es geht«, sagte der Kapitän.

Trelawney war so kalt wie Stahl. Er schaute nach der Zündung seines Gewehrs.

»Achtung!« rief der Kapitän. »Vorsichtig mit dem Gewehr, Sir, oder das Boot schlägt voll. Alle Mann halten das Gleichgewicht, wenn er zielt.«

Inzwischen hatten sie die Kanone auf der Lafette herumgeschwenkt, und Hands, der sich mit dem Ladestock an der Mündung zu schaffen machte, war infolgedessen am meisten exponiert. Indessen hatten wir kein Glück, denn gerade als Trelawney feuerte, bückte er sich nieder, die Kugel pfiff über ihn hinweg, und es war einer der anderen vier, der fiel.

Der Schrei, den er ausstieß, wurde nicht nur von seinen Kameraden an Bord, sondern von zahlreichen Stimmen am Ufer wiederholt, und als ich in diese Richtung blickte, sah ich die übrigen Seeräuber in Haufen zwischen den Bäumen hervorkommen und auf ihre Plätze in den Booten stürzen.

»Da kommen die Boote, Sir«, sagte ich.

»Dann vorwärts«, rief der Kapitän. »Jetzt können wir nicht mehr darauf achten, ob wir Wasser schöpfen. Wenn wir nicht ans Ufer kommen, ist alles vorbei.«

»Nur eins der Boote ist bemannt, Sir«, fuhr ich fort. »Die Besatzung des anderen geht vermutlich am Ufer entlang, um uns den Weg abzuschneiden.«

»Da werden sie laufen müssen, Sir«, erwiderte der Kapitän.

Inzwischen waren wir für ein so überladenes Boot ein schönes Stück vorangekommen und hatten dabei nur wenig Wasser geschöpft. Jetzt waren wir dicht unter dem Lande, noch dreißig oder vierzig Schläge, und wir waren am Ziel, denn die Ebbe hatte schon einen schmalen Sandgürtel unter den dichten Bäumen freigelegt. Das Boot war nicht mehr gefährlich; die kleine Landspitze hatte es bereits unseren Augen verborgen. Die Ebbe, die uns so grausam aufgehalten hatte, machte das nun wieder gut und behinderte unsere Angreifer. Die einzige Gefahr war die Kanone.

»Wenn ich es wagen könnte«, sagte der Kapitän, »würde ich stoppen, um noch einen Mann wegzuputzen.«

Aber offenbar waren sie der Meinung, nichts werde ihren Schuß verhindern. Ihren gefallenen Kameraden würdigten sie keines Blicks, obgleich er nicht tot war und ich sehen konnte, wie er wegzukriechen versuchte.

»Fertig!« rief der Squire.

»Festhalten«, schrie der Kapitän so schnell wie ein Echo.

Mit aller Macht legten er und Redruth sich zurück, so daß das Heck buchstäblich unter Wasser gedrückt wurde. Im gleichen Augenblick fiel der Schuß. Das war der erste, den Jim hörte, da der Knall von dem Gewehr des Squire nicht bis zu ihm gedrungen war.

Wohin die Kugel ging, wußte niemand von uns genau zu sagen, aber ich meine, sie muß über unsere Köpfe geflogen sein, und der Luftzug davon trug wohl zu unserem Mißgeschick bei.

Auf jeden Fall sank das Boot ganz langsam mit dem Heck voran in drei Fuß Tiefe, wobei der Kapitän und ich, die einander gegenüber gesessen hatten, auf die Füße zu stehen kamen. Die anderen drei machten einen vollendeten Kopfsprung und kamen durchnäßt und prustend wieder an die Oberfläche.

Soweit war das nicht schlimm. Wir hatten kein Menschenleben eingebüßt und konnten sicher ans Ufer waten. Aber alle unsere Vorräte lagen auf dem Grund, und um das Maß voll zu machen, waren nur zwei von unseren Gewehren schußbereit geblieben. Instinktiv hatte ich meines von den Knien gerissen und hoch über meinen Kopf gehalten. Der Kapitän hatte das seine an einem Riemen über der Schulter und als kluger Mann mit dem Schloß nach oben getragen. Die drei anderen waren mit dem Boot untergegangen.

Unsere Bestürzung wuchs noch mehr, als wir hörten, wie sich in den Wäldern am Ufer bereits Stimmen näherten. Es drohte uns nicht nur die Gefahr, in unserem halbbehinderten Zustand von dem Blockhaus abgeschnitten zu werden, sondern wir fürchteten überdies, Hunter und Joyce könnten, wenn sie von einem halben Dutzend angegriffen würden, nicht genug Mut und Charakter besitzen, ihnen standzuhalten.

Unter all diesen Überlegungen wateten wir, so schnell wir konnten, ans Ufer, und hinter uns ließen wir die arme Jolle und gut die Hälfte von all unserem Pulver und Proviant.

Der Arzt erzählt weiter:
Ende des ersten Kampftages

So schnell wir konnten, eilten wir durch den schmalen Waldstreifen, der uns noch von dem Blockhaus trennte, und bei jedem Schritt, den wir zurücklegten, klangen die Stimmen der Bukanier näher. Bald konnten wir ihre Tritte und das Knacken der Zweige hören, wie sie durch das Dickicht brachen.

Ich begriff, daß es zu einem ernsten Zusammenstoß kommen würde, und sah nach meiner Zündung.

»Kapitän«, sagte ich, »Trelawney ist ein Scharfschütze. Gebt ihm Euer Gewehr, seines ist nicht zu gebrauchen.«

Sie tauschten die Waffen, und Trelawney, schweigend und kühl, wie er seit Beginn der Meuterei gewesen war, blieb einen Augenblick stehen, um sich zu überzeugen, daß alles in Ordnung war. Gleichzeitig händigte ich Gray, der, wie ich sah, unbewaffnet war, mein Entermesser aus. Es tat uns allen im Herzen wohl, als wir sahen, wie er in die Hände spuckte und mit gefurchter Stirn die Klinge durch die Luft pfeifen ließ. Jede Linie seines Körpers zeigte uns, daß unser neuer Mann sein Brot wert war.

Vierzig Schritte weiter kamen wir an den Saum des Waldes und sahen das Blockhaus vor uns. Wir gingen etwa in der Mitte der Südseite auf die Einfriedigung zu, und fast zur gleichen Zeit erschienen an der Südwestecke sieben von den Meuterern, der Bootsmann Job Anderson an der Spitze.

Wie verdutzt blieben sie stehen, und noch ehe sie sich fassen konnten, hatten nicht nur der Squire und ich, sondern auch Hunter und Joyce im Blockhaus Zeit zum Feuern. Die vier Schüsse fielen in einer ziemlich unregelmäßigen Salve, aber sie taten ihre Wirkung. Einer der Gegner fiel auf der Stelle, und die übrigen machten unverzüglich kehrt und verschwanden zwischen den Bäumen.

Nachdem wir wieder geladen hatten, gingen wir an der Außenseite der Palisade entlang, um nach dem gefallenen Feind zu sehen. Er war mausetot – ins Herz getroffen.

Gerade wollten wir uns über unseren Erfolg freuen, als im Busch eine Pistole krachte. Eine Kugel pfiff an meinem Ohr vorbei, und der arme Tom Redruth wankte und fiel der Länge nach zu Boden. Wir beide, der Squire und ich, erwiderten den Schuß, aber da wir kein Ziel sahen, vergeudeten wir wahrscheinlich nur unser Pulver. Dann luden wir wieder und wandten unsere Aufmerksamkeit dem armen Tom zu.

Der Kapitän und Gray waren schon dabei, ihn zu untersuchen, und mit einem halben Auge sah ich, daß es mit ihm vorbei war.

Ich glaube, die Schnelligkeit, mit der wir das Feuer der Gegner erwiderten, hatte die Meuterer wieder verscheucht, denn es gelang uns ohne weitere Störung, den armen alten Jagdhüter über die Palisade zu heben und den Stöhnenden und Blutenden in das Blockhaus zu tragen.

Wie ein Kind weinend fiel der Squire neben ihm auf die Knie und küßte seine Hand.

»Muß ich gehen, Herr Doktor?« fragte er.

»Tom, mein Guter«, antwortete ich, »du gehst heim«.

»Ich wünschte nur, ich hätte ihnen vorher noch eins draufbrennen können«, erwiderte er.

»Tom«, rief der Squire, »sag, daß du mir verzeihst, ja?«

»Würde das von mir Euch gegenüber respektvoll sein?« antwortete er. »Aber trotzdem, so sei es, Amen.«

Nach einer kleinen Weile des Schweigens meinte er, es möchte jemand ein Gebet sprechen. »Das ist so Sitte, Sir«, fuhr er entschuldigend fort, und bald darauf verschied er ohne ein weiteres Wort.

Inzwischen hatte der Kapitän, der, wie ich beobachtet hatte, um Brust und Taschen herum seltsam geschwollen aussah, eine Menge der verschiedensten Dinge zutage gefördert: eine britische Flagge, eine Bibel, eine Rolle kräftiger Schnur, Feder, Tinte, das Logbuch und pfundweise Tabak. Er hatte einen schlanken Fichtenstamm gefunden, der gefällt und von den Ästen befreit innerhalb der Einfriedung lag, und ihn an der Ecke des Blockhauses, wo sich die Stämme kreuzten und einen Winkel bildeten, mit Hunters Hilfe aufgestellt. Dann stieg er aufs Dach und hißte mit eigener Hand die Flagge.

Das schien ihn außerordentlich zu erleichtern. Er kam ins Blockhaus zurück und begann, als ob sonst nichts existiere, die Vorräte zu zählen. Aber trotzdem hatte er ein Auge für Toms Hinscheiden, und sobald alles vorüber war, trat er mit einer zweiten Flagge näher und breitete sie ehrfurchtsvoll über die Leiche.

»Nehmt es Euch nicht so zu Herzen, Sir«, sagte er und drückte dem Squire die Hand. »Ihm ist wohl. Keine Angst um einen Mann, der bei der Pflichterfüllung für Kapitän und Schiffsherren gefallen ist. Das ist vielleicht keine gute Theologie, aber es ist Tatsache.«

Dann nahm er mich beiseite.

»Dr. Livesey«, begann er, »in wieviel Wochen erwartet Ihr und der Squire die Hilfsexpedition?«

Ich erwiderte, das sei keine Frage von Wochen, sondern von Monaten. Wenn wir bis Ende August nicht zurück wären, sollte Blandly nach uns suchen lassen, nicht früher und nicht später. »Ihr könnt es Euch selbst ausrechnen«, sagte ich.

»Nun ja«, entgegnete der Kapitän und kratzte sich den Kopf. »Bei aller schuldigen Dankbarkeit, Sir, für die Güte der Vorsehung, muß ich sagen, daß wir sehr hart am Wind segeln.«

»Wie meint Ihr das?« fragte ich.

»Es ist jammerschade, Sir, daß wir diese zweite Ladung verloren haben«, fuhr er fort. »Mit Pulver und Blei wird's gehen. Aber die Rationen sind knapp, sehr knapp – so knapp, Dr. Livesey, daß wir ohne diesen Esser vielleicht genausogut dran sind.«

Damit wies er auf den Leichnam unter der Flagge.

In diesem Augenblick flog heulend und pfeifend eine Kanonenkugel hoch über das Dach des Blockhauses hinweg und fiel weit weg von uns in den Wald.

»Oho!« meinte der Kapitän. »Gebt nur immer Feuer! Ihr habt so schon reichlich wenig Pulver, Jungs.«

Beim zweiten Versuch lag der Schuß besser, und die Kugel schlug innerhalb der Palisaden ein. Sie wirbelte eine Sandwolke hoch, richtete aber sonst keinen Schaden an.

»Kapitän«, sagte der Squire, »das Haus ist vom Schiff aus völlig unsichtbar. Es muß die Flagge sein, auf die sie zielen. Wäre es nicht klüger, sie einzuziehen?«

»Die Flagge streichen?« rief der Kapitän. »Nein, Sir, kommt

nicht in Frage!« Und ich glaube, so wie er es sagte, waren wir alle seiner Meinung.

Den ganzen Abend hindurch donnerten sie weiter. Kugel auf Kugel flog über uns hinweg, traf zu kurz oder schlug in den Boden der Umzäunung ein. Aber sie mußten so hoch schießen, daß die Geschosse ohne Wirkung blieben und sich in den weichen Sand einbohrten.

»Etwas Gutes ist an all dem«, bemerkte der Kapitän. »Der Wald vor uns ist ziemlich klar. Die Ebbe ist eine ganze Weile im Gange. Unsere Vorräte müssen jetzt frei liegen. Freiwillige vor zum Schweinefleischholen.«

Gray und Hunter waren die ersten, die sich meldeten. Gut bewaffnet stahlen sie sich aus der Einfriedigung. Aber es stellte sich als ein unfruchtbares Unterfangen heraus. Die Meuterer waren kühner, als wir uns vorstellten, oder sie setzten mehr Vertrauen in Israels Schießkunst, denn vier oder fünf waren eifrig damit beschäftigt, unsere Vorräte wegzutragen, und wateten damit hinaus zu einem der Boote, das in der Nähe lag und mit ein paar Ruderschlägen gegen die Strömung gehalten wurde. Im Heck saß Silver und führte das Kommando, und jeder war jetzt mit einer Muskete aus irgendeinem Magazin bewaffnet, das sie vor uns geheimgehalten hatten.

Der Kapitän setzte sich an sein Logbuch, und so lautete der Anfang seiner Eintragungen:

»Alexander Smollett, Kapitän; David Livesey, Schiffsarzt; Abraham Gray, Zimmermannsgast; John Trelawney, Schiffsherr; John Hunter und Richard Joyce, Diener des Schiffsherrn, Landratten – alles, was von der Schiffsbesatzung treu geblieben ist – sind mit Proviant für zehn Tage bei kleinen Rationen heute an Land gekommen und haben auf dem Blockhaus auf der Schatzinsel die britische Flagge gehißt. Thomas Redruth, Landratte, Diener des Schiffsherrn, von den Meuterern erschossen. James Hawkins, Schiffsjunge –«

Gerade dachte ich darüber nach, welches Schicksal dem armen Jim Hawkins wohl beschieden gewesen sein mochte, da wurden wir von der Landseite her angerufen.

»Irgend jemand ruft uns«, sagte Hunter, der gerade Wache hatte.

»Doktor, Squire, Kapitän! Hallo Hunter! Seid Ihr es?« hörten wir rufen. Und ich lief gerade rechtzeitig zur Tür, um Jim Hawkins gesund über die Palisaden klettern zu sehen.

Jim Hawkins nimmt die Erzählung wieder auf: Die Besatzung des Blockhauses

Sobald Ben Gunn die Flagge sah, blieb er stehen, hielt mich am Arm fest und setzte sich nieder.

»So«, sagte er, »das sind auf jeden Fall deine Freunde.«

»Viel eher werden es die Meuterer sein«, antwortete ich.

»Das?« rief er. »Nein, an einem solchen Ort, wo sonst niemand hinkommt als Glücksritter, würde Silver bestimmt den Jolly Roger* hissen, daran ist nicht zu zweifeln. Nein, das sind deine Freunde. Außerdem hat's Hiebe gegeben, und ich schätze, deine Freunde haben besser dabei abgeschnitten; und jetzt sind sie an Land in dem alten Blockhaus, das vor vielen Jahren von Flint erbaut worden ist. Ja, das war ein Mann mit Grips, der Flint. Außer dem Rum war ihm keiner über. Der hatte vor niemandem Angst. Nur Silver – Silver, der war aalglatt.«

»Schön«, sagte ich, »das könnte stimmen, und wenn es der Fall ist, um so mehr Grund für mich, daß ich mich beeile, zu meinen Freunden zu kommen.«

»Nein, Kamerad, das wirst du nicht«, entgegnete Ben. »Du bist ein guter Junge, aber du bist doch nur ein Junge, alles in allem. Nun, Ben Gunn ist helle. Nicht einmal für Rum ginge ich dorthin, wohin du gehst – nicht einmal für Rum, bis ich deinen wasch- echten Gentleman sehe und es von ihm auf sein Ehrenwort habe. Und du vergißt nicht, was ich sage: Mit viel mehr riesigem Ver- trauen und dann kneifst du ihn.«

Und damit kniff er mich mit demselben pfiffigen Gesicht zum drittenmal.

* Die schwarze Piratenflagge mit weißem Totenschädel (Anmerkung des Übersetzers).

»Und wenn Ben Gunn verlangt wird, weißt du, wo er zu finden ist, Jim. Genau da, wo du ihn heute gefunden hast. Und wer da kommt, muß ein weißes Ding in der Hand halten, und er muß allein kommen. Ja, und du wirst ihm sagen: Ben Gunn, wirst du sagen, hat seine besonderen Gründe.«

»Schön«, erwiderte ich, »ich glaube, ich verstehe. Ihr habt einen Vorschlag zu machen, und Ihr wollt den Squire oder den Doktor sehen, und Ihr seid da zu finden, wo ich Euch gefunden habe. Ist das alles?«

Hier wurden wir durch einen lauten Knall unterbrochen. Eine Kanonenkugel flog mit Getöse durch die Bäume und schlug keine hundert Schritt von der Stelle, an der wir standen und redeten, in den Sand. Im nächsten Augenblick hatten wir beide nach zwei verschiedenen Richtungen hin Reißaus genommen.

Eine gute Stunde lang erschütterten zahlreiche Schüsse die Insel, und die Kugeln flogen krachend durch den Wald. Ich lief von Deckung zu Deckung, immer, wie mir schien, von diesen schrecklichen Geschossen verfolgt. Aber gegen Ende der Beschießung hatte ich langsam wieder Mut gefaßt, wenn ich mich auch noch nicht in die Nähe des Blockhauses wagte, wo die Kugeln am häufigsten einschlugen. Nach einem weiten Umweg in östlicher Richtung kroch ich zwischen den Bäumen ans Ufer hinab.

Die »Hispaniola« lag noch da, wo sie vor Anker gegangen war, aber von ihrem Topp flatterte tatsächlich der Jolly Roger, die schwarze Piratenflagge. Gerade als ich hinüberblickte, blitzte es wieder rot auf. Der Knall hallte vielfach wider, und eine Kugel pfiff durch die Luft. Das war die letzte der Beschießung.

Eine Weile blieb ich still liegen und horchte auf den Tumult, der auf den Angriff folgte. Am Strand in der Nähe des Blockhauses waren Männer dabei, etwas mit Äxten zu zertrümmern, die arme Jolle, wie ich später feststellte.

Schließlich glaubte ich, zum Blockhaus zurückkehren zu können. Ich befand mich ziemlich weit unten auf der flachen, sandigen Landzunge, die den Landeplatz nach Osten hin begrenzte und die bei mittlerem Wasserstand mit der Skelettinsel verbunden ist. Jetzt sah ich, als ich mich erhob, in einiger Entfernung auf der Landzunge einen einzelnen, ziemlich hohen, auffallend weißen

Felsen, der zwischen dem niedrigen Buschwerk emporragte. Mir fiel ein, das könnte der weiße Felsen sein, von dem Ben Gunn gesprochen hatte; eines Tages könnten wir ein Boot benötigen, und dann wüßte ich, wo ich eins zu suchen hätte.

Dann schlich ich am Saum des Waldes entlang, bis ich die der Küste zugewandte Rückseite der Palisaden erreicht hatte, und wurde bald von der Partei der Getreuen aufs wärmste begrüßt.

In kurzer Zeit hatte ich meine Geschichte erzählt und blickte um mich. Dach, Wände und Fußboden des Blockhauses waren aus unbehauenen Fichtenstämmen gefertigt. Der Boden erhob sich an mehreren Stellen etwa einen bis anderthalb Fuß hoch über die Oberfläche des Sandes. An der Tür befand sich ein Vorbau. Darunter floß die kleine Quelle in ein künstliches, seltsam geformtes Becken. Es war nichts anderes als ein großer eiserner Schiffskessel mit ausgeschlagenem Boden, der, wie der Kapitän sich ausdrückte, »bis zur Lademarke« in den Sand eingegraben war.

Die kühle Abendbrise, die ich vorhin erwähnt habe, pfiff durch jede Ritze des rohen Bauwerks und berieselte den Boden mit einem fortwährenden Regen von feinem Sand. Wir hatten Sand in den Augen, Sand zwischen den Zähnen, Sand in unserem Essen, und Sand tanzte in der Quelle am Boden des Kessels wie Grütze, die anfängt zu kochen. Unser Schornstein war ein viereckiges Loch im Dach, aber nur ein kleiner Teil des Rauches fand seinen Weg dorthinaus, und der Rest wirbelte im Hause umher und verursachte uns Husten und tränende Augen.

Dazu kam, daß Gray, der neue Mann, wegen eines Hiebes, den er bei seinem Ausbruch von den Meuterern abbekommen hatte, sein Gesicht in einem Verband trug und daß der arme Tom Redruth noch unbeerdigt steif und starr unter der Fahne an der Wand lag.

Hätte man uns untätig herumsitzen lassen, wir wären alle trübsinnig geworden. Aber Kapitän Smollett war nicht der Mann dazu. Er rief alle Mann zusammen und teilte uns in Wachen ein, den Arzt, Gray und mich in die eine und den Squire, Hunter und Joyce in die andere. So müde wir waren, wurden zwei von uns zum Brennholzholen hinausgeschickt, zwei wurden eingeteilt, für Redruth ein Grab zu schaufeln, der Arzt wurde zum Koch ernannt und ich als Posten vor die Tür gestellt. Der Kapitän selbst ging von einem zum anderen, munterte uns auf und legte Hand an, wo es nötig war.

Von Zeit zu Zeit trat der Arzt vor die Tür, um ein wenig frische Luft zu schöpfen und seine Augen auszuruhen, die ihm beinahe aus dem Kopf geräuchert wurden, und jedesmal sprach er ein paar Worte mit mir.

»Dieser Smollett«, sagte er einmal, »ist ein besserer Mann als ich, und wenn ich das sage, so will das viel bedeuten, Jim.«

Ein andermal kam er heraus und stand eine Weile schweigend da. Dann legte er den Kopf auf die Seite und blickte mich an.

»Ist dieser Ben Gunn ein Mann?« fragte er.

»Ich weiß es nicht, Sir«, erwiderte ich. »Ich bin mir nicht völlig klar, ob er ganz richtig im Kopf ist.«

»Wenn darüber ein Zweifel besteht, dann ist er's«, entgegnete der Arzt. »Von einem Mann, der drei Jahre lang auf einer einsamen Insel an den Nägeln gekaut hat, Jim, kann man nicht erwarten, daß er so normal aussieht wie du oder ich. Das liegt nicht in der menschlichen Natur. Was sagtest du: war es Käse, wofür er eine Vorliebe hatte?«

»Ja, Sir, Käse«, antwortete ich.

»Ja, Jim«, fuhr er fort, »da siehst du, wofür es gut ist, wenn man gerne etwas Gutes ißt. Du hast doch schon einmal meine Schnupftabaksdose gesehen, nicht wahr? Und du hast mich nie schnupfen gesehen. Der Grund ist der, daß ich in der Dose ein Stück Parmesankäse aufbewahre – ein Käse, der in Italien hergestellt wird und sehr nahrhaft ist. Also, der ist für Ben Gunn.«

Vor dem Abendbrot beerdigten wir den alten Tom im Sand. Eine Weile standen wir barhäuptig im Winde um ihn herum. Ein Haufen Brennholz war hereingeholt worden, aber dem Kapitän war es nicht genug. Er schüttelte den Kopf und meinte, morgen müßten wir uns »etwas lebhafter dazuhalten«. Dann aßen wir unser Schweinefleisch, und jeder bekam ein Glas steifen Grog. Dann setzten die drei Führer sich in eine Ecke, um unsere Aussichten zu besprechen.

Wie es schien, waren sie mit ihrem Witz am Ende, denn die Vorräte waren so gering, daß wir, lange ehe Hilfe kam, durch den

Hunger zur Übergabe gezwungen werden mußten. Man kam zu dem Schluß, daß unsere größte Hoffnung darin bestand, von den Seeräubern so viele abzuschießen, bis sie entweder die Flagge strichen oder mit der »Hispaniola« davonfuhren. Von neunzehn waren bereits nur noch fünfzehn am Leben, zwei andere waren verwundet und wenigstens einer – der Mann, der an der Kanone getroffen worden war – ernstlich, wenn er nicht sogar tot war. Jede Gelegenheit, ihnen eins aufzubrennen, mußten wir wahrnehmen und dabei unser Leben mit größter Vorsicht schonen. Darüber hinaus hatten wir zwei wertvolle Verbündete: den Rum und das Klima.

Was den ersteren betraf, so konnten wir sie, obwohl wir etwa eine halbe Meile entfernt waren, noch spät in der Nacht grölen und singen hören, und was das zweite anging, so wettete der Arzt seine Perücke, daß bei dem Aufenthalt in dieser sumpfigen Gegend ohne Arzneimittel die Hälfte von ihnen auf dem Rücken liegen werde, noch ehe eine Woche vergangen sei.

»Wenn wir also beim erstenmal nicht alle niedergeschossen werden«, fuhr er fort, »werden sie froh sein, sich mit dem Schoner davonmachen zu können. Es ist immerhin ein Schiff, und sie können damit wieder seeräubern gehen, nehme ich an.«

»Das erste Schiff, das ich jemals verloren habe«, sagte Kapitän Smollett.

Wie man sich vorstellen kann, war ich todmüde, und als ich zum Schlafen kam, was erst nach langem Hin- und Herwerfen geschah, schlief ich wie ein Klotz.

Die anderen waren schon lange auf, sie hatten bereits gefrühstückt und den Stapel Brennholz um etwa die Hälfte vergrößert, als ich von einem Geräusch und dem Klang von Stimmen aufwachte.

»Parlamentärflagge*«, hörte ich jemanden sagen und dann sofort darauf mit einem Ruf der Überraschung: »Silver selbst!«

Darauf sprang ich hoch, rieb mir die Augen und lief an eine Schießscharte.

* Parlamentärflagge: weiße Fahne. Sie wird als Erkennungszeichen von dem Unterhändler zwischen kriegführenden Parteien getragen. Wer sie trägt, ist unverletzlich, darf also nicht angegriffen werden.

Da standen tatsächlich zwei Männer draußen vor den Palisaden. Einer von ihnen schwenkte ein weißes Tuch, und der andere, kein Geringerer als Silver selbst, stand in aller Ruhe dabei.

»Bleibt drinnen, Leute«, rief der Kapitän. »Zehn zu eins, daß das eine Falle ist.«

Dann rief er den Bukanier an.

»Wer da? Halt, oder wir schießen!«

»Parlamentärflagge!« rief Silver.

Der Kapitän stand unter dem Vorbau und hielt sich sorgfältig aus dem Bereich eines verräterischen Schusses, falls ein solcher versucht werden sollte. Er wandte sich zu uns und sagte: »Die Wache des Doktors auf Ausguck! Dr. Livesey übernimmt die Nordseite, bitte, Jim den Osten, Gray den Westen. Freiwache alle Mann Musketen laden. Schnell, Männer, und vorsichtig.«

Und dann wandte er sich wieder den Meuterern zu.

»Und was wollt ihr mit eurer Parlamentärflagge?« rief er.

Diesmal war es der andere, der antwortete.

»Käpt'n Silver, Sir, wünscht an Bord zu kommen und Vorschläge zu machen«, schrie er.

»Käpt'n Silver? Kenn ich nicht. Wer ist das?« rief Smollett, und wir hörten ihn zu sich sagen: »Käpt'n ist er? Meiner Seel, das nenne ich eine Beförderung.«

Der lange John antwortete selbst.

»Ich, Sir. Diese armen Kerle haben mich zu ihrem Kapitän gewählt, nachdem Ihr desertiert seid, Sir« – dabei legte er eine besondere Betonung auf das Wort »desertiert«. »Wir sind bereit, uns zu unterwerfen, wenn wir zu einer Abmachung kommen und weiter keine Scherereien haben. Alles, was ich will, Käpt'n Smollett, ist Euer Wort, mich heil und sicher aus diesen Palisaden wieder heraus und eine Minute weit aus dem Schußfeld gehen zu lassen, ehe ein Gewehr abgefeuert wird.«

»Mein Lieber«, entgegnete Kapitän Smollett, »ich habe nicht das geringste Verlangen, mit Euch zu reden. Wenn Ihr mit mir sprechen wollt, dann könnt Ihr kommen, das ist alles. Geschieht eine Verräterei, dann nur von Eurer Seite, und dann gnade Euch Gott.«

»Das genügt, Käpt'n«, schrie der lange John erfreut. »Ein Wort von Euch genügt. Ich weiß, wer ein Ehrenmann ist, darauf könnt Ihr Euch verlassen.«

Wir konnten sehen, wie der Mann, der die Parlamentärflagge trug, versuchte, Silver zurückzuhalten, und das war nach der hochmütigen Antwort des Kapitäns nicht verwunderlich. Aber Silver lachte ihn laut aus und klopfte ihm auf die Schulter, als wäre der Gedanke an eine Besorgnis lächerlich. Dann ging er auf die Palisade zu, warf seine Krücke hinüber, hob sein Bein und brachte es mit großer Kraft und Gewandtheit fertig, den Zaun zu übersteigen und heil auf die andere Seite zu fallen.

Ich gebe zu, daß ich von dem Vorgang zu sehr gefesselt war, um als Wachtposten auch nur vom geringsten Nutzen zu sein. Schon hatte ich meine östliche Schießscharte verlassen und schlich hinter den Kapitän, der sich jetzt auf die Türschwelle gesetzt hatte, die Ellenbogen auf die Knie und den Kopf in die Hände gestützt. Den Blick hielt er auf das Wasser gerichtet, das aus dem alten Eisenkessel in den Sand lief.

Silver hatte furchtbare Mühe, den Hügel heraufzusteigen. Der steile Abhang, die dicken Baumstümpfe und der weiche Sand machten ihn mit seiner Krücke so hilflos wie ein Schiff in einer Flaute. Aber schweigend überwand er das wie ein Mann und kam schließlich bei dem Kapitän an, den er überaus höflich begrüßte. Er war aufs beste ausstaffiert. Ein riesiger blauer Rock, dicht mit Messingknöpfen besetzt, reichte ihm bis zu den Knien, und ein schöner betreßter Hut saß ihm hinten auf dem Kopf.

»Da seid Ihr ja, mein Lieber«, sagte der Kapitän und hob den Kopf. »Ihr könnt Euch hinsetzen.«

»Ihr wollt mich nicht hineinkommen lassen, Käpt'n?« beklagte sich der lange John. »Es ist ein mächtig kalter Morgen, wirklich, Sir, um draußen im Sande zu sitzen.«

»Ja, Silver«, entgegnete der Kapitän, »wenn Ihr es vorgezogen hättet, ein ehrlicher Mensch zu bleiben, könntet Ihr in Eurer Kombüse sitzen. Das liegt an Euch selbst. Ihr seid entweder mein Schiffskoch – und dann wäret Ihr anständig behandelt worden – oder Käpt'n Silver, ein ganz gewöhnlicher Meuterer und Seeräuber, und dann könnt Ihr gehängt werden.«

»Schön, schön, Käpt'n«, erwiderte der Schiffskoch und setzte sich wie aufgefordert in den Sand. »Ihr müßt mir dann beim Aufstehen wieder helfen, das ist alles. Ein ganz hübsches Plätzchen habt Ihr hier.«

»Wenn Ihr etwas zu sagen habt, mein Lieber, ist es besser, Ihr sagt es«, versetzte der Kapitän.

»Recht habt Ihr, Käpt'n Smollett«, antwortete Silver. »Dienst ist Dienst, natürlich. Nun ja, seht, das war ein guter Schlag von euch vergangene Nacht. Das streite ich nicht ab, das war ein guter Schlag. Einige von euch verstehen gut mit einem Handspakenende umzugehen. Und ich will nicht ableugnen, daß das meinen Leuten in die Knochen gefahren ist, vielleicht ist es mir selbst auch in die Knochen gefahren. Vielleicht ist das der Grund, weshalb ich hier bin, um zu verhandeln. Aber merkt Euch das, Käpt'n, zum zweitenmal gelingt das nicht, zum Donnerwetter. Wir werden Wache schieben und den Rum etwas einschränken. Vielleicht denkt Ihr, wir seien alle stinkbesoffen gewesen. Aber das sage ich Euch, ich war nüchtern. Ich war nur hundemüde, und wäre ich eine Sekunde früher aufgewacht, ich hätte euch dabei erwischt, das hätt ich. Er war nicht tot, als ich zu ihm kam, noch nicht.«

»Na, und?« fragte Kapitän Smollett so kühl wie möglich.

Was Silver vorbrachte, war ihm ein Rätsel, indes hätte man es aus seiner Stimme nicht schließen können. Ich aber ahnte etwas. Ich vermutete, Ben Gunn hatte den Seeräubern einen Besuch abgestattet, während sie betrunken um ihr Feuer herumlagen, und wir hatten es nur noch mit vierzehn Gegnern zu tun.

»Die Sache ist die«, fuhr Silver fort, »wir wollen diesen Schatz haben, und wir werden ihn bekommen – das ist für uns die Hauptsache. Ihr wollt so bald als möglich euer Leben in Sicherheit bringen, schätz ich; das ist für euch die Hauptsache. Ihr habt eine Karte, nicht wahr?«

»Kann sein«, erwiderte der Kapitän.

»O ja, die habt Ihr, das weiß ich«, entgegnete der lange John. »Ihr braucht nicht so grob mit einem Menschen umzugehen, das hilft Euch kein bißchen, darauf könnt Ihr Euch verlassen. Was ich sagen will, ist das: Wir brauchen Eure Karte. Also, ich selbst habe Euch nie was zuleide tun wollen.«

»Davon seid mir ganz still«, unterbrach ihn der Kapitän. »Wir wissen ganz genau, was Ihr wolltet, aber es kümmert uns nicht, denn jetzt könnt Ihr es nicht mehr ausführen, wie Ihr seht.«

Und er blickte ihn ruhig an und begann seine Pfeife zu stopfen.

»Wenn Abe Gray –« brauste Silver auf.

»Halt jetzt!« rief Smollett. »Gray hat mir gar nichts gesagt, und ich habe ihn nichts gefragt. Außerdem sähe ich am liebsten ihn und Euch und die ganze Insel in die Luft gesprengt. So, das ist meine Meinung von der Sache für Euch, mein Lieber.«

Dieser kleine Temperamentsausbruch schien Silver abzukühlen. Er fing bereits an, aufgebracht zu werden, aber jetzt nahm er sich zusammen.

»Mag sein«, gab er zu. »Da ich sehe, daß Ihr Euch eine Pfeife stopft, Käpt'n, bin ich so frei und steck mir auch eine an.«

Und er stopfte seine Pfeife und zündete sie an, und so saßen die beiden Männer eine Weile da und rauchten schweigend.

»Also«, begann Silver aufs neue, »so ist die Sache. Ihr gebt uns die Karte, damit wir an den Schatz kommen, und hört auf, arme Seeleute zu erschießen und ihnen im Schlaf den Schädel einzuschlagen. Das tut Ihr, und wir lassen Euch die Wahl: Entweder kommt Ihr mit uns an Bord, wenn der Schatz verladen ist, und dann gebe ich Euch mein Ehrenwort, Euch irgendwo sicher an Land zu setzen. Oder wenn das nicht nach Eurem Geschmack ist, weil vielleicht einige von meinen Leuten grob sind und mit Euch, weil Ihr sie geschliffen habt, ein Hühnchen zu rupfen haben, dann könnt Ihr auch hierbleiben. Wir werden Mann für Mann unsere Vorräte mit Euch teilen, und ich gebe mein Ehrenwort, daß wir das erste Schiff anrufen, das wir sichten, und es hierher senden, um Euch aufzunehmen. Jetzt werdet Ihr zugeben, daß das ein Wort ist. Besser konntet Ihr es nicht erwarten, nicht wahr? Und ich hoffe, daß alle Mann hier in dem Blockhaus meine Worte nachprüfen, denn was für einen gesprochen ist, gilt für alle.«

Kapitän Smollett erhob sich und klopfte seine Pfeife in die linke Hand aus.

»Ist das alles?« fragte er.

»Das allerletzte Wort, zum Donnerwetter«, antwortete John. »Lehnt es ab, und Ihr werdet nichts mehr von mir sehen als Musketenkugeln.«

»Sehr gut«, sagte der Kapitän. »Jetzt hört mich an. Wenn ihr hierherkommt, einer nach dem anderen, unbewaffnet, so werde ich euch in Eisen legen und nach Hause bringen vor ein ordentliches Gericht in England. Wollt ihr das nicht, mein Name ist Alexander Smollett, ich habe die Flagge meines Königs gehißt und werde euch alle zum Teufel schicken. Ihr könnt den Schatz nicht finden. Ihr könnt das Schiff nicht navigieren, keiner von euch ist in der Lage, das Schiff zu navigieren. Ihr könnt nicht gegen uns kämpfen – Gray hier ist fünfen von euch entkommen. Euer Schiff liegt fest, Meister Silver. Ihr liegt an einer Leeküste, das werdet Ihr sehen. Hier stehe ich und sage es Euch, und das ist das letzte gute Wort, das Ihr von mir hört, denn so wahr mir Gott helfe, ich werde Euch eine Kugel ins Kreuz jagen, wenn ich Euch das nächstemal sehe. Haut ab, mein Junge. Schert Euch weg von hier, und doppelt lebhaft.«

Silvers Gesicht war sehenswert. Vor Wut traten ihm die Augen aus dem Kopf. Er klopfte die Glut aus seiner Pfeife.

»Helft mir aufstehen!« schrie er.

»Ich nicht«, entgegnete der Kapitän.

»Wer hilft mir auf?« brüllte er.

Niemand von uns rührte sich. Unter den widerlichsten Flüchen kroch er durch den Sand, bis er sich an dem Vorbau halten und sich wieder auf seine Krücke hochziehen konnte. Dann spie er in die Quelle.

»Da!« schrie er. »Das denke ich von euch. Lacht nur, zum Donnerwetter, lacht nur! Ehe eine Stunde vergangen ist, werdet ihr im Jenseits lachen. Diejenigen, die fallen, werden am besten dran sein.«

Und mit einem furchtbaren Fluch humpelte er davon, fiel in den Sand, und nach vier oder fünf vergeblichen Versuchen gelang es ihm, mit Hilfe des Mannes mit der Parlamentärflagge über die Palisade zu kommen. Einen Augenblick später war er zwischen den Bäumen verschwunden.

Sobald Silver verschwunden war, wandte sich der Kapitän, der ihn genau beobachtet hatte, dem Innern des Hauses zu und fand außer Gray niemand auf seinem Posten. Das war das erstemal, daß wir ihn zornig sahen.

»Auf Stationen!« brüllte er, und als wir alle auf unsere Posten geschlichen waren, sagte er: »Gray, ich werde Euren Namen ins Logbuch eintragen, Ihr habt Eure Pflicht erfüllt wie ein Seemann. Mr. Trelawney, ich bin überrascht über Euch, Sir. – Herr Doktor, ich dachte, Ihr hättet des Königs Rock getragen! Wenn Ihr bei Fontenoy so Euren Dienst getan habt, wäret Ihr besser in Eurer Koje geblieben.«

Die Wache des Doktors stand wieder an ihren Schießscharten, die übrigen waren mit dem Laden der Reservemusketen beschäftigt, und zwar jeder mit einem roten Gesicht, wie man sich denken kann.

Eine Weile sah uns der Kapitän schweigend zu. Dann begann er. »Jungs«, sagte er. »Ich habe Silver eine Breitseite gegeben. Mit Absicht habe ich ihn zur Weißglut gebracht, und ehe die Stunde um ist, werden wir geentert, wie er gesagt hat. Wir sind ihnen an Zahl unterlegen, das brauche ich euch nicht zu sagen, aber wir kämpfen in Deckung, und vor einer Minute hätte ich gesagt, wir kämpfen mit Disziplin. Ich zweifle keineswegs daran, daß wir sie zusammenhauen können, wenn ihr wollt.«

Dann machte er die Runde und stellte fest, daß alles klar war, wie er sagte. »Löscht das Feuer«, befahl er. »Die Kälte ist vorüber, und wir dürfen keinen Rauch in die Augen bekommen.«

Eigenhändig trug Mr. Trelawney den eisernen Korb hinaus und löschte die Glut im Sande.

»Hawkins hat noch kein Frühstück gehabt – Hawkins, nimm dir selbst, und zurück auf deinen Posten; da kannst du essen«, fuhr Kapitän Smollett fort. »Lebhaft jetzt, mein Junge, du wirst es brauchen, ehe du damit fertig bist. Hunter, gebt an alle Mann eine Runde Schnaps aus.«

Und während das geschah, vervollständigte der Kapitän in Gedanken den Verteidigungsplan.

»Doktor, Ihr übernehmt die Tür«, fuhr er fort. »Beobachtet gut und exponiert Euch nicht. Haltet Euch drinnen und feuert durch den Vorbau. Hunter, Ihr übernehmt dort die Ostseite, Joyce, Ihr die Westseite, mein Lieber. Mr. Trelawney, Ihr seid der beste Schütze – Ihr und Gray nehmt diese lange Nordseite mit den fünf Schießscharten. Von dort kommt die Gefahr. Wenn sie dort herankommen und uns durch unsere eigenen Schießscharten unter Feuer nehmen, sieht es böse für uns aus. Hawkins, weder du noch ich taugen als Schützen viel. Wir werden laden und überall zur Hand gehen.«

Die Kälte war vergangen, wie der Kapitän gesagt hatte. Sobald die Sonne über die Bäume um uns her emporgestiegen war, schien sie mit aller Macht auf die Lichtung und sog im Nu den Dunst auf. Bald war der Sand glühend heiß, und das Harz in den Stämmen des Blockhauses schmolz.

Eine Stunde verging.

»Der Teufel soll sie holen«, sagte der Kapitän. »Das ist ja so langweilig wie die Kalmen* – Gray, pfeif mal nach einem Wind.«

Und gerade in diesem Augenblick kam das erste Anzeichen eines Angriffs.

»Mit Verlaub, Sir«, fragte Joyce, »wenn ich jemanden sehe, soll ich schießen?«

»Das habe ich Euch doch gesagt!« rief der Kapitän.

»Ich danke Euch, Sir«, erwiderte Joyce so ruhig wie höflich.

Eine Zeitlang erfolgte nichts, aber die Bemerkung hatte uns alle in Spannung versetzt. Wir strengten Augen und Ohren an, die Schützen hielten die Waffen in der Hand, und mit zusammengepreßten Lippen und gefurchter Stirn stand der Kapitän in der Mitte des Blockhauses.

So vergingen einige Sekunden, bis Joyce plötzlich sein Gewehr hob und feuerte. Kaum war der Schuß gefallen, als er von draußen auf allen Seiten der Einfriedigung mit einer knatternden Salve – Schuß auf Schuß wie im Gänsemarsch – erwidert wurde. Mehrere Kugeln trafen das Blockhaus, aber keine schlug hinein,

---

* Zonen häufiger Windstillen, z. B. am Äquator (Anmerkung des Übersetzers).

und als sich der Pulverdampf verzogen hatte, lagen die Einfriedigung und die Wälder ringsum genauso ruhig und verlassen da wie vorher.

»Habt Ihr Euren Mann getroffen?« fragte der Kapitän.

»Nein, Sir«, erwiderte Joyce. »Ich glaube nicht, Sir.«

»Das zweitbeste ist immer, die Wahrheit zu sagen«, knurrte Kapitän Smollett. »Lade sein Gewehr, Hawkins. Wie viele, würdet Ihr sagen, waren auf Eurer Seite, Doktor?«

»Das weiß ich genau«, erwiderte Dr. Livesey. »Drei Schüsse wurden hier abgefeuert. Ich habe drei Blitze gesehen, zwei dicht beieinander und einen weiter westlich.«

»Drei!« wiederholte der Kapitän. »Und wieviel bei Euch, Mr. Trelawney?«

Aber das war nicht so leicht zu beantworten. Von Norden her waren viele gekommen, sieben nach der Rechnung des Squire, acht oder neun nach Grays Meinung. Im Osten und Westen war nur je ein Schuß gefallen. Es war also klar, daß der Angriff von Norden her kommen würde und daß man uns von den anderen drei Seiten nur zum Schein beschoß. Aber Kapitän Smollett änderte seine Anordnungen nicht. Wenn es den Meuterern gelang, über die Palisaden zu kommen, schloß er, so würden sie jede ungeschützte Schießscharte besetzen und uns in unserer eigenen Festung wie Ratten niederschießen.

Aber wir hatten nicht viel Zeit zum Nachdenken. Plötzlich stürzte auf der Nordseite mit Hurra eine kleine Gruppe von Piraten zwischen den Bäumen hervor, rannte auf die Palisade zu, und gleichzeitig wurde aus dem Walde das Feuer wieder eröffnet. Eine Gewehrkugel pfiff durch die Tür und schlug die Muskete des Doktors in Stücke.

Wie Affen schwärmten die Angreifer über den Zaun. Der Squire und Gray schossen noch einmal und noch einmal. Drei Männer fielen, einer nach vorn in die Einfriedigung und zwei rücklings nach draußen. Aber von diesen war einer offenbar mehr erschrocken als verletzt, denn im Nu war er wieder auf den Beinen und verschwand sofort zwischen den Bäumen.

Zwei hatten ins Gras gebissen, einer war ausgerissen, aber vier hatten innerhalb unserer Verteidigung Fuß gefaßt, während unter dem Schutz der Wälder sieben oder acht Mann, jeder offenbar mit mehreren Musketen versehen, ein heftiges, wenn auch wirkungsloses Feuer auf das Blockhaus abgaben.

Die vier, die herübergekommen waren, liefen schreiend geradesweges auf das Haus zu, und die Männer unter den Bäumen schrien zurück, um ihnen Mut zu machen. Mehrere Schüsse wurden abgegeben, aber die Zielenden beeilten sich so, daß offenbar keiner traf. Im Nu waren die Piraten den Abhang herauf und über uns.

An der mittleren Schießscharte erschien der Kopf des Bootsmanns Job Anderson. »Auf sie, alle Mann – alle Mann!« brüllte er mit Donnerstimme.

In demselben Augenblick ergriff ein anderer Pirat Hunters Muskete bei der Mündung, rang sie ihm aus der Hand, riß sie durch die Schießscharte und streckte den armen Burschen mit einem einzigen heftigen Schlag besinnungslos zu Boden. Inzwischen erschien ein dritter, der unbehindert um das Haus herumgelaufen war, plötzlich vor der Tür und fiel mit seinem Entermesser über den Doktor her.

Unsere Lage hatte sich völlig gewendet. Einen Augenblick vorher hatten wir aus der Deckung auf einen exponierten Feind geschossen, jetzt waren wir ungeschützt und konnten keinen Schlag erwidern.

Das Blockhaus war voller Rauch, und dem verdankten wir unsere verhältnismäßige Sicherheit. Schreie und Verwirrung, blitzende Pistolenschüsse und ein lautes Aufstöhnen drangen an mein Ohr.

»Hinaus, Jungs! Hinaus, und kämpft im Freien! Entermesser!« schrie der Kapitän.

Ich packte mir ein Entermesser von dem Stapel, und jemand anders, der gleichzeitig danach griff, gab mir einen Hieb über die Knöchel, den ich aber kaum fühlte. Ich stürzte zur Tür hinaus in die helle Sonne. Jemand – ich wußte nicht, wer – war dicht hinter mir. Gerade vor mir verfolgte der Arzt seinen Angreifer den Hügel hinab, und eben, als ich hinblickte, durchbrach er seine Parade und schlug ihn mit einem mächtigen Hieb quer durchs Gesicht zu Boden, so daß er alle viere von sich streckte.

»Um das Haus herum, Jungs! Um das Haus herum!« schrie der Kapitän, und sogar in diesem Tumult bemerkte ich eine Veränderung in seiner Stimme.

Ich gehorchte automatisch und rannte mit erhobenem Entermesser um die Ecke nach der östlichen Seite. Im nächsten Augenblick sah ich mich Job Anderson gegenüber. Er brüllte laut und schwang seinen in der Sonne blitzenden Säbel über dem Kopf. Mir blieb keine Zeit zum Erschrecken; noch während der Hieb über mir drohte, sprang ich blitzschnell zur Seite, dabei stolperte ich in dem weichen Sand und kugelte kopfüber den Abhang hinab.

Als ich aus der Tür gestürzt war, schwärmten die übrigen Meuterer bereits über die Palisaden, um uns den Garaus zu machen. Ein Mann mit einer roten Nachtmütze, das Messer zwischen den Zähnen, war gerade hinaufgeklettert und schwang ein Bein hinüber. Das alles ging so schnell, daß ich, als ich mich wieder aufgerafft hatte, noch dasselbe Bild vor Augen hatte: den Burschen mit der roten Nachtmütze noch auf halbem Wege herüber, und einen anderen, der gerade über die Palisade blickte, und doch war in dieser winzigen Zeitspanne der Kampf vorüber und der Sieg unser.

Gray war mir auf den Fersen gefolgt und hatte den großen Bootsmann niedergehauen, noch ehe dieser sich nach seinem Fehlschlag wieder sammeln konnte. Ein anderer war an einer Schießscharte niedergeschossen worden, gerade als er in das Haus hineinfeuerte, und lag, die noch rauchende Pistole in der Hand, in den letzten Zügen. Einen dritten hatte der Arzt mit einem Hieb erledigt, wie ich gesehen hatte. Von den vieren, die die Palisaden geentert hatten, war nur einer unverwundet geblieben, und dieser kletterte in seiner Todesangst unter Zurücklassung des Entermessers wieder hinaus.

»Schießt – schießt aus dem Hause!« schrie der Arzt. »Und ihr, Jungs, zurück in Deckung!«

Aber seine Worte blieben unbeachtet. Kein Schuß wurde abgegeben; dem letzten Eindringling gelang es zu entkommen, und er verschwand mit den übrigen im Walde. Innerhalb von drei Sekunden blieb von den Angreifern nichts übrig als die fünf, die gefallen waren, vier auf der Innenseite und einer außerhalb der Palisade.

In voller Eile rannten der Arzt, Gray und ich in Deckung. Die Überlebenden würden bald von dort zurückkehren, wo sie ihre Gewehre im Stich gelassen hatten, und jeden Augenblick konnte das Feuer wieder beginnen.

Inzwischen war der Rauch aus dem Hause etwas abgezogen, und mit einem Blick übersahen wir den Preis, den wir für den Sieg bezahlt hatten. Hunter lag besinnungslos neben seiner Schießscharte, Joyce, durch den Kopf getroffen, neben der seinen und rührte sich nicht mehr, während in der Mitte des Raumes der Squire den Kapitän stützte, einer so bleich wie der andere.

»Der Kapitän ist verwundet«, sagte Mr. Trelawney.

»Sind sie davongelaufen?« fragte Smollett.

»So schnell sie konnten, das könnt Ihr mir glauben«, erwiderte der Arzt. »Aber fünf werden nie mehr laufen.«

»Fünf«, rief der Kapitän, »das ist schon besser. Fünf gegen drei, da bleiben wir vier zu neun. Das ist ein besseres Verhältnis als zu Anfang. Da waren wir sieben zu neunzehn oder glaubten es wenigstens, und das ist genauso schlimm.«

Fünfter Teil

Mein Abenteuer auf See

Wie mein Abenteuer auf See begann

Die Meuterer kehrten nicht zurück – nicht ein einziger Schuß fiel aus den Wäldern. Von den acht, die in dem Kampf gefallen waren, atmeten nur noch drei – der eine der Piraten, der an der Schießscharte niedergeschossen worden war, Hunter und Kapitän Smollett, und von diesen waren die beiden ersten so gut wie tot. Der Meuterer starb tatsächlich unter dem Messer des Arztes, und Hunter erlangte trotz allen Bemühungen das Bewußtsein nicht wieder. In der folgenden Nacht ging er ohne ein Zeichen oder einen Laut zu seinem Schöpfer ein.

Die Verwundung des Kapitäns war zwar schwer, aber nicht gefährlich. Kein Organ war ernstlich verletzt. Andersons Kugel war ihm durch das Schulterblatt gedrungen und hatte die Lunge gestreift, jedoch nur leicht. Der zweite Schuß hatte nur einige Wadenmuskeln verletzt und verzerrt. Er würde mit Sicherheit wiederhergestellt werden, meinte der Arzt, doch dürfe er inzwischen und für die nächsten Wochen weder gehen noch seinen Arm bewegen und nicht viel sprechen, wenn er es vermeiden könne.

Mein zufälliger Schlag auf die Knöchel war nur ein Flohstich. Dr. Livesey klebte mir ein Pflaster drauf und zupfte mich zum Trost am Ohr.

Nach dem Mittagessen saßen der Squire und der Arzt eine Zeitlang zur Beratung beim Kapitän, und als sie sich gründlich ausgesprochen hatten – es war kurz nach Mittag –, nahm der Arzt seinen Hut und seine Pistolen, gürtete sich ein Entermesser um und steckte die Karte in die Tasche. Dann überstieg er, eine Muskete über die Schulter gehängt, an der Nordseite die Palisade und ging leichten Schrittes zwischen den Bäumen davon.

Gray und ich saßen zusammen am äußeren Ende des Blockhauses, um außer Hörweite unserer beratschlagenden Offiziere zu sein. Gray nahm die Pfeife aus dem Munde und vergaß fast, sie wieder hineinzustecken, so überrascht war er von diesem Vorgang.

»Nanu, in des Teufels Namen!« rief er. »Ist Dr. Livesey verrückt geworden?«

»Ich glaube kaum«, erwiderte ich. »Er ist wohl der letzte von uns, dem das passieren könnte, schätz ich.«

»Na, Kamerad«, fuhr Gray fort, »vielleicht ist er es nicht, aber wenn er es nicht ist, dann merk dir, bin ich es.«

»Ich nehme an, der Doktor hat etwas vor«, entgegnete ich, »und wenn ich mich nicht irre, geht er jetzt Ben Gunn suchen.«

Meine Vermutung war richtig, wie sich später herausstellte, aber inzwischen ging mir, da das Haus erstickend heiß war und der kleine Sandplatz innerhalb der Palisaden in der Mittagssonne glühte, etwas anderes durch den Sinn. Ich begann nämlich den Arzt zu beneiden, der nun, die Vögel und den angenehmen Duft der Fichten um sich, durch den kühlen Schatten der Wälder ging, während ich hier saß und briet und meine Kleider an dem heißen Harz festklebten und überall so viele Leichen lagen, daß mich vor diesem Ort ein Abscheu packte, der fast an Furcht grenzte.

Während ich das Blockhaus säuberte und das Eßgeschirr abwusch, wurden Abscheu und Neid immer größer und größer, bis ich schließlich, als ich mich gerade in der Nähe eines Brotsackes befand und niemand auf mich achtete, den ersten Schritt zu meiner Eskapade tat, indem ich mir beide Rocktaschen mit Zwieback füllte.

Das nächste, was ich an mich nahm, war ein Paar Pistolen, und da ich bereits ein Pulverhorn und Kugeln besaß, fühlte ich mich wohl bewaffnet.

Was den Plan betraf, den ich mir ausgedacht hatte, so war dieser gar nicht so übel. Ich wollte die sandige Landzunge hinabgehen, die den Ankerplatz gegen Osten vom offenen Meer trennte, den weißen Felsen aufsuchen, den ich am Abend vorher bemerkt hatte, und mich vergewissern, ob Ben Gunn dort sein Boot versteckt hatte. Da ich aber überzeugt war, daß man mir nicht erlauben würde, die Einfriedigung zu verlassen, so hatte ich mir vorgenommen, mich auf französisch zu empfehlen und hinauszuschlüpfen, wenn niemand darauf achtete.

Nun bot sich mir, wie sich die Dinge schließlich anließen, eine wunderbare Gelegenheit. Der Squire und Gray waren eben dabei, nach dem Verband des Kapitäns zu schauen. Die Luft war rein. Rasch sprang ich über die Palisade und in das Dickicht der Bäume, und ehe meine Abwesenheit bemerkt wurde, war ich außer Rufweite.

Ich schlug den geraden Weg zur Ostküste der Insel ein. Es war bereits spät am Nachmittag, wenn auch noch warm und sonnig. Während ich weiter den hohen Wald durchquerte, hörte ich von ferne fortwährend die Brandung donnern. Bald trafen mich kühle Luftstöße. Nach wenigen Schritten kam ich an den offenen Saum des Waldes. Vor mir sah ich die See blau und sonnenbeschienen bis zum Horizont und die Brandung, die tosend und sich überschlagend ihren Gischt gegen die Küste warf.

Mit großem Vergnügen wanderte ich entlang der Brandung, und als ich glaubte, weit genug nach Süden gekommen zu sein, kroch ich in Deckung einiger dichter Büsche vorsichtig auf die Höhe der Landzunge hinauf.

Hinter mir lag das Meer und vor mir der Ankergrund. Die Seebrise war bereits abgeflaut, als hätte sie sich durch ihre ungewöhnliche Heftigkeit selbst ausgeweht. Sie wurde abgelöst durch leichte, wechselnde Winde aus Süd und Südost, die große Nebelbänke mit sich brachten, und der Ankerplatz lag im Lee der Skelettinsel ebenso ruhig und bleiern da wie bei unserer ersten Ankunft. In dieser ungetrübten Fläche spiegelte sich die »Hispaniola« vom Topp bis zur Wasserlinie wider, und vom Mast flatterte der Jolly Roger.

Längsseits lag eins der Boote; im Heck saß Silver, während sich ein paar Männer über die achtere Reling lehnten, einer von ihnen mit einer roten Mütze, derselbe Halunke, den ich ein paar Stunden vorher rittlings auf der Palisade gesehen hatte. Offenbar lachten sie und unterhielten sich, obgleich ich auf diese Entfernung – mehr als eine Meile – natürlich kein Wort von dem hören konnte, was sie sagten.

Bald darauf stieß das Boot ab und ruderte an Land, während der Mann mit der roten Mütze und sein Kumpan die Treppe zur Kajüte hinuntergingen.

Gerade zu dieser Zeit war die Sonne hinter dem Fernrohr untergegangen, und da der Nebel sich schnell verdichtete, begann es ernstlich dunkel zu werden. Ich sah, daß ich keine Zeit verlieren durfte, wenn ich an diesem Abend das Boot noch finden wollte.

Der weiße Felsen, der deutlich über dem Buschwerk sichtbar war, lag noch etwa eine Achtelmeile weiter südlich, und ich brauchte noch eine ganze Weile, bis ich ihn, auf allen vieren durch das Gebüsch kriechend, erreicht hatte. Die Nacht war fast hereingebrochen, als ich meine Hand auf seine rauhe Oberfläche legen konnte. Genau darunter befand sich eine sehr schmale Mulde von grünem Rasen, die von den Dünen und dem dort in großen Mengen wachsenden Unterholz verborgen wurde, und mitten darin stand ein Zelt aus Ziegenfellen, wie es in England die Zigeuner mit sich führen.

Ich sprang in die Mulde, hob die Seite des Zeltes hoch, und da lag Ben Gunns Boot – selbst gebastelt, wenn je etwas selbst gebastelt worden ist –, ein grobes, schiefwandiges Rahmenwerk aus zähem Holz und darübergespannt, mit der Haarseite nach innen, eine Haut aus Ziegenfellen. Das Ding war, sogar für mich, außerordentlich schmal, und ich konnte mir kaum vorstellen, daß es einen erwachsenen Menschen zu tragen vermochte. Ein Querholz war so niedrig wie möglich angebracht, und im Bug befand sich eine Fußstütze. Ein Doppelpaddel diente zur Fortbewegung.

Nun sollte man annehmen, nachdem ich das Boot gefunden hatte, hätte ich fürs erste genug von meiner Herumstreiferei gehabt. Aber inzwischen war mir ein neuer Einfall gekommen, und ich war so eigensinnig darauf versessen, daß ich glaube, ich hätte ihn sogar unter Kapitän Smolletts Augen ausgeführt. Ich wollte nämlich unter dem Schutz der Dunkelheit hinausrudern und das Ankertau der »Hispaniola« kappen, damit sie an Land triebe, wohin sie gerade Lust hatte. Ich hatte mir überlegt, die Meuterer würden, nachdem sie am Morgen zurückgeschlagen worden waren, nichts lieber tun, als die Anker zu lichten und in See zu stechen. Das zu verhindern, dachte ich, würde eine gute Tat sein; und als ich sah, daß sie ihre Wache ohne Boot zurückgelassen hatten, glaubte ich das ohne Risiko bewerkstelligen zu können.

Ich setzte mich nieder, um die Dunkelheit abzuwarten, und nahm eine herzhafte Abendmahlzeit von Zwieback zu mir. Der Nebel hatte inzwischen den ganzen Himmel bezogen. Als das letzte Tageslicht verblich und schwand, senkte sich tiefe Finsternis auf die Schatzinsel herab, und als ich schließlich das Lederboot auf die Schulter hob und mich stolpernd aus der Mulde heraustastete, da waren auf dem ganzen weiten Ankerplatz nur noch zwei Punkte zu unterscheiden.

Der eine war das große Feuer am Strand, an dem die besiegten Piraten zechend im Moor saßen. Der andere war nur ein verschwommener Schimmer in der Finsternis und zeigte die Position des ankernden Schiffes an.

Die Ebbe hatte bereits seit einiger Zeit begonnen, und ich mußte durch einen breiten Streifen nassen Sandes waten, wo ich mehrere Male bis über die Knöchel versank, ehe ich an den Rand des ablaufenden Wassers kam. Ich ging eine kleine Strecke hinein, und es gelang mir mit einiger Kraftanstrengung und Geschicklichkeit, mein Lederboot mit dem Kiel nach unten auf das Wasser zu setzen.

Die Ebbe läuft

Das Lederboot war für einen Menschen meiner Größe und meines Gewichts ein sehr sicheres Fahrzeug, gleich flott und handlich in der Strömung, aber das widerspenstigste und schlagseitigste, wenn man es manövrieren mußte. Man mochte tun, was man wollte, es wandte sich immer wieder leewärts, und am besten beherrschte es das Manöver, sich dauernd im Kreise zu drehen. Selbst Ben Gunn hatte zugegeben, es sei »schwierig zu handhaben, bis man seine Eigenheiten kenne«.

Auf jeden Fall kannte ich seine Eigenheiten nicht. Es drehte sich nach jeder Richtung, nur nicht nach der, in der ich rudern wollte, und ich bin überzeugt, ich hätte das Schiff niemals erreicht, wäre nicht Ebbe gewesen. Zu meinem Glück trieb diese mich, ich mochte paddeln, wie ich wollte, weiter nach draußen, und bald lag die »Hispaniola« mir direkt im Wege, so daß ich sie kaum verfehlen konnte.

Zuerst tauchte sie vor mir wie ein Fleck auf, der etwas schwärzer war als die Finsternis, dann nahmen ihre Spieren* und ihr Rumpf Gestalt an, und schon im nächsten Augenblick war ich an ihrem Ankertau und hielt mich daran fest.

Das Tau war so straff gespannt wie eine Bogensehne — so stark zerrte das Schiff an seinem Anker. Rings um seinen Rumpf brodelte und plätscherte der kabbelnde Strom wie ein kleiner Gebirgsbach. Ein Schnitt mit meinem Seemannsmesser, und die »Hispaniola« würde mit dem Ebbstrom abtreiben.

So weit, so gut, aber plötzlich fiel mir ein, daß ein gespanntes Ankertau, das man kappt, genauso gefährlich ist wie ein ausschlagendes Pferd. Es war zehn zu eins zu wetten, daß ich samt meinem Lederboot glatt aus dem Wasser herausgeschlagen werden würde, wenn ich so tollkühn wäre und die »Hispaniola« von ihrem Anker abschnitt.

Das hielt mich von meinem Vorhaben ab. Aber die leichte Brise, die von Süd und Südost eingesetzt hatte, drehte nach Einbruch der Dunkelheit auf Südwest. Gerade während ich noch überlegte, kam eine Bö, faßte die »Hispaniola« und trieb sie der Strömung entgegen. Zu meiner größten Freude fühlte ich, wie das Ankertau, das ich ergriffen hatte, schlaff wurde und die Hand, die es hielt, für einen Augenblick ins Wasser tauchte.

Das besiegelte meinen Entschluß. Ich zog mein Messer, öffnete es mit den Zähnen und durchschnitt einen Strang nach dem anderen, bis das Schiff nur noch an zweien hing. Dann wartete ich in aller Ruhe, um diese beiden letzten noch durchzutrennen, wenn der Zug noch einmal durch eine Bö gelockert würde.

Die ganze Zeit über hörte ich aus der Kajüte laute Stimmen. Aber meine Gedanken waren von anderen Überlegungen so

---

* Sammelbezeichnung für alle Rundhölzer eines Schiffes, wie Masten, Rahen usw.

völlig in Anspruch genommen, daß ich kaum darauf geachtet hatte. Als ich nun untätig wartete, begann ich genauer hinzuhören.

Die eine Stimme erkannte ich als die des Beibootsführers Israel Hands, der in früheren Zeiten Flints Kanonier gewesen war. Die andere gehörte natürlich meinem Freund mit der roten Nachtmütze. Beide waren offenbar schon stark bezecht und tranken noch weiter, denn gerade als ich so horchte, öffnete einer von ihnen mit einem betrunkenen Grölen das Heckfenster und warf etwas hinaus, wie ich annahm, eine leere Flasche. Aber sie waren nicht nur bezecht, sondern zweifellos auch sehr wütend. Die Flüche prasselten wie die Hagelkörner, und zwischendurch gerieten sie so aneinander, daß ich überzeugt war, es werde in einer Schlägerei enden. Aber jedesmal ging der Streit wieder vorüber, und die Stimmen murmelten eine Weile leiser, bis die nächste Krise kam und wieder ergebnislos abflaute.

Endlich kam die Brise wieder. Der Schoner schwoite zur Seite und kam im Finstern näher. Wieder fühlte ich das Tau schlaffer werden und trennte mit kräftigem Schnitt die letzten Fasern durch.

Die Brise hatte auf das Lederboot nur geringe Wirkung, und so wurde ich fast in demselben Augenblick gegen den Bug der »Hispaniola« getrieben. Gleichzeitig begann der Schoner sofort, sich querzulegen und sich in der Strömung langsam um seine Achse zu drehen.

Ich arbeitete aus Leibeskräften, denn jeden Augenblick fürchtete ich vollzulaufen, und da ich sah, daß ich das Lederboot querab von dem Schoner nicht freibekommen konnte, ruderte ich längsseits auf das Heck zu. Schließlich kam ich von meinem gefährlichen Nachbarn klar, und gerade, als ich den letzten Schlag tat, stieß meine Hand an eine dünne Leine, die über die Heckreling herabhing. Sofort griff ich danach.

Warum ich es tat, weiß ich kaum zu sagen. Anfangs geschah das nur instinktiv, als ich sie aber einmal in der Hand hielt und merkte, daß sie fest war, gewann meine Neugierde die Oberhand, und ich beschloß, einen Blick durch das Kajütenfenster zu werfen.

Hand über Hand zog ich mich an der Leine heran, und als ich glaubte, nahe genug zu sein, erhob ich mich trotz der ungeheuren

Gefahr zur halben Höhe, bis ich die Decke und ein Stück vom Innern der Kajüte überblicken konnte.

Inzwischen glitten der Schoner und sein kleiner Begleiter ziemlich schnell auf dem Wasser dahin. Wir hatten bereits die Höhe des Lagerfeuers erreicht. Das Schiff redete, wie der Seemann sagt, laut und rollte und schlingerte mit unaufhörlichem Plätschern über die unzähligen Wellen dahin, und ehe ich nicht einen Blick über die Fensterbrüstung getan hatte, war mir unverständlich, warum die Wache keinen Alarm gab. Aber dieser eine Blick genügte mir, und es war auch nur ein Blick, den ich von meinem schwankenden Schifflein aus wagen konnte. Er zeigte mir Hands und seinen Kumpan in tödlichem Ringkampf verklammert, jeder die Hand an des anderen Kehle.

Ich ließ mich wieder auf meinen Sitz sinken, keinen Augenblick zu früh, denn beinahe wäre ich über Bord gefallen. In den ersten Sekunden sah ich nichts als diese beiden zornroten Gesichter, die unter der blakenden Lampe gegeneinander schwankten, und ich schloß die Augen, um sie wieder an die Dunkelheit zu gewöhnen.

Ich dachte darüber nach, wie eifrig Teufel und Rum sich soeben in der Kajüte betätigten, als ich durch ein plötzliches Schwanken des Bootes aufgeschreckt wurde. In demselben Augenblick gierte* es scharf und schien seinen Kurs zu ändern. Die Geschwindigkeit hatte inzwischen seltsamerweise zugenommen.

Sofort öffnete ich die Augen. Rings um mich her waren kleine Wellen, die sich mit einem lauten, plätschernden Geräusch überschlugen und deutlich phosphoreszierten. Die »Hispaniola«, in deren Kielwasser ich mit einigen Metern Abstand getrieben war, schien von ihrem Kurs abzuweichen, und ich sah gegen den finsteren Nachthimmel ihre Spieren leicht schwanken; ja, und als ich lange hinblickte, erkannte ich, daß sie ebenfalls eine Wendung nach Süden gemacht hatte.

Ich schaute über die Schulter, und mein Herz schlug mir gegen die Rippen. Dort, direkt hinter mir, leuchtete der Schein des Lagerfeuers. Die Strömung hatte sich im rechten Winkel gedreht

---

* Gieren: auf dem Kurs hin- und herpendeln, schleudern.

und führte den großen Schoner und das kleine tanzende Boot mit sich. Immer schneller, immer höher schäumend und immer lauter grollend wälzte sie sich durch die enge Einfahrt in die offene See. Plötzlich gierte der Schoner vor mir heftig und machte eine Wendung von etwa zwanzig Grad, und in demselben Augenblick ertönten von Bord mehrere Schreie. Ich hörte Schritte die Kajütentreppe heraufpoltern und wußte, daß die beiden Trunkenbolde ihren Streit unterbrochen und das Unheil erkannt hatten.

Ich legte mich flach auf den Boden des verwünschten Schiffleins und empfahl mich voller Ergebung meinem Schöpfer. Ich war überzeugt, am Ausgang der Enge mußten wir in eine Barre von tosenden Brechern geraten, und dort würden alle meine Sorgen ein rasches Ende finden.

So muß ich stundenlang gelegen haben. Die Wellen warfen mich hin und her, der fliegende Gischt durchnäßte mich, und jedesmal, wenn das Boot in das nächste Wellental hinabtauchte, erwartete ich den Tod.

Allmählich übermannte mich die Müdigkeit; Betäubung und gelegentliche Erstarrung befielen mich sogar inmitten meiner Furcht. Schließlich überkam mich der Schlaf, und ich lag in meinem von der See umhergeschleuderten Lederboot und träumte von zu Hause und vom alten »Admiral Benbow«.

Die Fahrt des Lederbootes

Es war heller Tag, als ich erwachte und feststellte, daß ich am Südwestende der Schatzinsel trieb. Die Sonne war aufgegangen, stand aber noch hinter dem großen Massiv des Fernrohrs, das an dieser Stelle in furchtbaren Klippen fast bis zur See abfiel. Ich war kaum eine Viertelmeile vom Ufer entfernt, und mein erster Gedanke war, zur Küste zu paddeln und an Land zu gehen.

Diesen Plan gab ich aber bald wieder auf. Zwischen den herabgestürzten Felsen schäumten und donnerten die Brecher in heftigem Anprall, und der Gischt flog und fiel in sekundenschnellen Abständen. An dieser rauhen Küste würde ich zerschmettert werden oder bei dem Versuch, diese überhängenden Klippen zu erklettern, meine Kräfte vergebens verbrauchen.

Aber bald sah ich eine, wie ich annahm, bessere Möglichkeit vor mir. Nördlich des Kaps bildet die Küste eine tiefe Bucht, in der bei Ebbe ein breiter Streifen gelben Sandes trockenliegt. Nördlich davon folgt ein anderes Vorgebirge – das Waldkap, wie es auf der Karte bezeichnet war –, bis an den Rand des Meeres hinab ganz mit hohen Fichten bestanden.

Ich entsann mich, was Silver über die Strömung gesagt hatte, die an der ganzen Westküste der Schatzinsel entlang nach Norden lief, und da ich an meiner Position erkannte, daß ich schon in ihrem Bereich war, zog ich es vor, meine Kräfte für einen Versuch an dem freundlicher aussehenden Waldkap aufzusparen.

Die See war von einer langen, sanften Dünung bewegt. Der Wind blies stetig und leicht von Süden, so daß dieser und die Strömung nicht einander entgegenwirkten und die Wogen sich hoben und senkten, ohne sich zu brechen.

Wäre es anders gewesen, so hätte ich längst zugrunde gehen müssen, aber so fuhr mein kleines und leichtes Boot überraschend ruhig und sicher. Oft, wenn ich auf seinem Boden lag und nur mit einem Auge über das Dollbord* blickte, sah ich dicht neben mir einen hohen blauen Berg sich erheben, aber das Boot machte nur einen kleinen Sprung, tanzte wie auf Federn und glitt leicht wie ein Vogel auf der anderen Seite in das Wellental hinab.

Nach einer kleinen Weile wurde ich kühner und setzte mich aufrecht, um meine Paddelkünste zu versuchen. Aber selbst eine geringe Veränderung in der Gewichtsverteilung hatte einen starken Wechsel im Verhalten eines solchen Lederbootes zur Folge. Kaum paddelte ich das Boot vorwärts, so gab es sofort seine ruhige, tanzende Bewegung auf, sauste einen so steilen Wellenberg hinab, daß mir schwindlig wurde, und tauchte seine Nase in den nächsten Wellenberg hinein, daß der Gischt hochspritzte.

Durchnäßt und erschreckt fiel ich sofort in meine alte Lage zurück, worauf das Boot wieder Vernunft annahm und mich so sanft

---

* Der obere Bootsrand, in dem die Dollen, die Haltevorrichtungen für die Ruder angebracht sind (Anmerkung des Übersetzers).

wie vorher durch die Wogen trug. Offenbar duldete es keine Einmischung, aber welche Hoffnung blieb mir, an Land zu kommen, wenn ich seinen Kurs in keiner Weise beeinflussen konnte?

Ich hatte riesige Angst, aber ich verlor den Kopf nicht. Zuerst schöpfte ich mit meiner Mütze das Boot leer, wobei ich mich sehr behutsam bewegte. Dann blickte ich noch einmal vorsichtig über das Dollbord und begann darauf zu achten, wie es dem Boot gelang, so leicht über die Wogen zu gleiten.

Dabei stellte ich fest, daß eine Welle nicht so ein großer, glatter, glänzender Berg ist, wie sie vom Strande oder vom Deck eines Schiffes aussieht, sondern vielmehr eine Hügelkette auf dem trockenen Land, voller Gipfel, ebener Stellen und Täler. Das Lederboot drehte sich, wenn man es sich selbst überließ, von der einen Seite zur anderen, suchte sich sozusagen den Weg durch die niedrigeren Stellen und vermied die steilen Hänge und die höheren, sich überschlagenden Kämme der Wogen.

Also, so schloß ich, ist es klar, daß ich liegenbleiben muß, wo ich bin, um das Gleichgewicht nicht zu stören, aber ebenso klar war mir, daß ich das Paddel über die Borde legen mußte, um ihm an glatteren Stellen ein paar Schläge landwärts zu geben. Gesagt, getan. So lag ich in höchst anstrengender Stellung, auf die Ellbogen gestützt, und tat hin und wieder ein paar schwache Schläge, um das Boot auf Land zuzuhalten.

Es war eine sehr ermüdende und langwierige Arbeit, aber ich gewann sichtlich an Boden, und als ich mich dem Waldkap näherte, sah ich zwar, daß ich diese Stelle unweigerlich verfehlen mußte, aber ich hatte doch einige hundert Meter in östlicher Richtung zurückgelegt und war nun wirklich nahe vor dem Land. Ich konnte die kühlen, grünen Wipfel im Winde schwanken sehen und war überzeugt, das nächste Vorgebirge nicht zu verfehlen.

Aber bald hatte die Strömung mich an dem Punkt vorübergetragen, und als sich der Blick auf die See wieder öffnete, bot sich mir ein Bild, das meinen Gedanken ein völlig neues Ziel gab.

Geradeaus vor mir sah ich, kaum eine Meile entfernt, die »Hispaniola« unter Segeln. Sie lief unter ihrem Großsegel, und die schöne weiße Leinwand leuchtete in der Sonne wie Schnee oder Silber. Als ich sie zuerst sichtete, lag sie etwa auf Nordwestkurs. Ich vermutete, die Männer an Bord würden auf ihrem Kurs um die Insel herum zurück zum Ankergrund segeln. In diesem Augenblick aber begann sie mehr und mehr nach Westen zu drehen, so daß ich annahm, sie hätten mich gesichtet und die Jagd nach mir aufgenommen. Schließlich lief sie aber gerade in den Wind, wurde plötzlich zurückgetrieben und blieb mit killendem Segel * eine Weile hilflos liegen.

»Ungeschickte Burschen!« sagte ich mir. »Die müssen immer noch betrunken sein wie die Eulen!«

Und dann dachte ich daran, wie Kapitän Smollett ihnen Beine gemacht hätte.

Inzwischen fiel der Schoner nach und nach ab, dann trug das Segel einen neuen Schlag lang, für etwa eine Minute lief das Schiff schnell und kam wieder gerade in den Wind. Das wiederholte sich immer wieder aufs neue. Hin und her, voraus und zurück, nach Norden, Süden, Osten und Westen segelte es mit Stößen und Schlägen und endete jedesmal, wie es begonnen hatte, mit killendem Segel. Mir wurde klar, daß niemand am Ruder war. Wenn das zutraf, wo waren die Männer?

Die Strömung trug das Lederboot und den Schoner gleichermaßen südwärts. Der letztere segelte so wild und so unregelmäßig und lag jedesmal so lange unbeweglich, daß er bestimmt nicht weglief, wenn er nicht sogar zurückblieb. Wenn ich es nur wagte, mich aufrecht zu setzen und zu paddeln, war ich überzeugt, ihn einholen zu können. Der Plan hatte etwas Abenteuerliches und begeisterte mich. Ich setzte mich wieder aufrecht und wurde sofort von einem neuen Sprühregen begrüßt, aber diesmal blieb ich bei meinem Entschluß. Mit aller Kraft und Vorsicht begann ich auf die ruderlos treibende »Hispaniola« zuzupaddeln.

Jetzt holte ich den Schoner schnell ein. Ich konnte das Messing auf der hin- und herschlagenden Ruderpinne glänzen sehen, aber immer noch zeigte sich keine Menschenseele auf Deck. Ich konnte nur annehmen, das Schiff sei verlassen. War das nicht der Fall,

---

* Killendes Segel: hin- und herschlagendes, flatterndes Segel, meist bei führerlosen oder schlecht geführten Segelschiffen.

so lagen die Männer betrunken unten, wo ich sie vielleicht einsperren und mit dem Schiff tun konnte, was ich wollte.

Eine Zeitlang tat der Schoner das für mich schlechteste – er lag still. Sein Bug zeigte fast nach Süden, und natürlich gierte er die ganze Zeit. Jedesmal wenn es abfiel, füllte sich sein Segel teilweise und brachte ihn für einen Augenblick wieder richtig in den Wind. Ich sagte, es war das schlechteste für mich, denn so hilflos er in dieser Lage aussah mit seiner wie Kanonenschüsse knallenden Leinwand, so lief er mir doch immer wieder davon, nicht nur mit der Geschwindigkeit der Strömung, sondern durch seine ganze, natürlich beträchtliche Abdrift*.

Aber nun bot sich mir zum Schluß doch eine Chance. Für einige Sekunden flaute die Brise ganz ab. Die »Hispaniola« drehte sich in der Strömung langsam um ihre Achse und wandte mir ihr Heck zu. Das Kajütenfenster stand noch offen, und die Lampe brannte noch in den hellen Tag hinein. Das Großsegel hing herab, und abgesehen von der Strömung lag das Schiff völlig still.

In den letzten Augenblicken war ich etwas abgefallen, aber jetzt verdoppelte ich meine Anstrengungen und nahm noch einmal die Jagd auf.

Ich war kaum noch hundert Meter von dem Schiff entfernt, als mit einem Schlag der Wind wieder einsetzte. Es braßte nach Backbord auf** und schoß schlingernd und schwebend wie eine Schwalbe davon.

Mein erstes Gefühl war Verzweiflung, die sich dann aber in Freude umkehrte. Das Schiff schor im Kreise auf mich zu, bis es mir seine Breitseite zukehrte – und immer weiter, bis es die Hälfte, dann zwei Drittel und schließlich drei Viertel der Entfernung hinter sich gebracht hatte, die mich von ihm trennte. Weiß konnte ich die Wellen unter seinem Bug schäumen sehen. Ungeheuer hoch erschien es mir über meinem niedrigen Platz in dem Lederboot.

---

* Abdrift: Winkel zwischen der Kiellinie des Schiffes und dem Weg, den es durch das Wasser verfolgt. Hervorgerufen durch den Druck seitlich einkommenden Windes.

** Aufbrassen: das Schiff hat sich so gedreht, daß der Wind die Segel bläht, wie es normalerweise nur bei richtig geführtem Schiff der Fall ist.

Und dann ging mir plötzlich ein Licht auf. Ich fand kaum Zeit zum Nachdenken, kaum Zeit, zu handeln und mich in Sicherheit zu bringen. Ich befand mich auf dem Kamm einer Welle, als der Schoner über die nächste herabtauchend herankam. Das Bugspriet stand über meinem Kopf. Ich sprang auf meine Füße und, mich hochschnellend, drückte ich das Lederboot unter Wasser. Mit der einen Hand ergriff ich den Klüverbaum* und fand mit meinem Fuß Halt zwischen Stag und Brasse**. Und während ich noch keuchend dort hing, belehrte mich ein dumpfer Schlag, daß der Schoner auf das Boot aufgelaufen war und ich jetzt ohne die Möglichkeit eines Rückzuges auf der »Hispaniola« saß.

Ich hole den Jolly Roger nieder

Kaum hatte ich auf dem Bugspriet Fuß gefaßt, als das geblähte Segel killte und sich auf der anderen Seite mit einem Knall wie ein Kanonenschuß wieder füllte. Unter diesem Gegendruck erbebte der Schoner bis zum Kiel.

Dabei wäre ich fast hinunter ins Meer gestoßen worden, aber ich verlor keine Zeit, kroch den Bugspriet entlang zurück und fiel kopfüber auf das Deck.

Ich befand mich auf der Leeseite des Vorderdecks, und das noch tragende Großsegel verbarg einen Teil des Achterschiffes meinen Blicken. Keine Menschenseele war zu sehen. Die Planken, die seit der Meuterei nicht mehr gescheuert worden waren, trugen die Spuren vieler Füße, und eine leere Flasche mit abgebrochenem Hals rollte wie ein lebendes Wesen hin und her. Plötzlich kam die »Hispaniola« wieder richtig in den Wind. Das Ruder schlug um, das ganze Schiff gierte und erbebte, daß einem übel wurde. Gleichzeitig schwang der Großbaum nach innen und gab mir den Blick nach der Leeseite des Achterdecks frei.

* Verlängerung des Bugspriets. Bugspriet ist der kurze, schrägliegende Mast im Vorderteil.
** Zur Takelung des Klüverbaums gehörige Taue (Anmerkung des Übersetzers).

Da waren tatsächlich die beiden Wachen. Steif und die Arme gespreizt wie ein Gekreuzigter, mit blinkenden Zähnen zwischen den geöffneten Lippen lag die Rotmütze auf dem Rücken. Israel Hands hatte sich gegen das Schanzkleid gelehnt, das Kinn war ihm auf die Brust gesunken, seine Hände lagen geöffnet vor ihm auf dem Deck, und unter seiner Sonnenbräune war sein Gesicht weiß wie eine Talgkerze.

Bei jedem Sprung des Schoners rutschte die Rotmütze hin und her, aber – und das bot einen so geisterhaften Anblick – weder seine Haltung noch sein ständiges, zähnebleckendes Grinsen änderte sich durch diese rauhe Behandlung. Auch Hands schien bei jedem Stoß immer mehr in sich zusammenzusinken. Die Füße weit von sich gestreckt, lag er auf dem Deck, und sein ganzer Körper kippte nach hinten um, so daß sein Gesicht sich nach und nach von mir abwandte und ich schließlich nichts mehr von ihm sah als ein Ohr und eine zerzauste Locke seines Bartes.

Zur gleichen Zeit gewahrte ich rings um die beiden Lachen dunklen Blutes auf den Planken und nahm an, sie hätten in ihrer trunkenen Wut sich gegenseitig umgebracht.

Während ich so staunend starrte, dreht Israel Hands sich in einem ruhigen Augenblick, in dem das Schiff still lag, zum Teil herum und krümmte sich leise wimmernd in die Lage zurück, in der ich ihn zuerst gesehen hatte. Sein Stöhnen, das von Schmerzen und tödlicher Schwäche zeugte, und die Art, wie sein Unterkiefer herabhing, gingen mir zu Herzen. Als ich aber an die Unterhaltung dachte, die ich in der Apfeltonne mitangehört hatte, schwand all mein Mitleid wieder.

Ich ging nach achtern bis an den Großmast.

»Melde mich an Bord, Mr. Hands«, sagte ich ironisch.

Finster blickte er umher, aber er war zu geschwächt, um sein Erstaunen auszudrücken. Alles, was er sagen konnte, war nur das Wort »Schnaps«.

Ich merkte, hier war keine Zeit zu verlieren. So wich ich also dem Baum aus, als dieser wieder über das Deck schwang, und schlüpfte nach achtern und die Treppe hinab in die Kajüte.

Hier herrschte eine Unordnung, die man sich kaum vorstellen kann. Alle verschlossenen Fächer waren bei der Suche nach der

Karte aufgebrochen worden. Dort, wo die Halunken sich zum Trinken oder zur Beratung hingesetzt hatten, nachdem sie in dem Sumpf um ihren Lagerplatz herumgewatet waren, war der Fußboden dick mit Schmutz bedeckt. Die in leuchtendem Weiß gestrichenen und mit Gold abgesetzten Wände trugen die Spuren schmutziger Hände. Beim Rollen des Schiffes klirrten in den Ecken Dutzende leerer Flaschen. Eins der medizinischen Bücher des Arztes lag offen auf dem Tisch. Die Hälfte der Blätter war herausgerissen, ich nehme an, um Fidibusse daraus zu machen. Über all dies verbreitete die Lampe immer noch blakend einen trüben, umbrabraunen Schein.

Ich ging in den Laderaum. Alle Fässer waren weg, und von den Flaschen war eine überraschend große Zahl ausgetrunken und weggeworfen. Seitdem die Meuterei begonnen hatte, war sicher kein Mann mehr nüchtern gewesen.

Auf der Suche nach etwas Genießbarem fand ich für Hands eine Flasche mit etwas Branntwein, und für mich selbst raffte ich etwas Zwieback, eingemachtes Obst, ein großes Bündel Rosinen und ein Stück Käse zusammen. Damit stieg ich wieder auf Deck, legte meinen eignen Proviant hinter den Ruderkopf und außerhalb der Reichweite des Beibootsführers nieder. Dann ging ich zu der Wassertonne, um einen guten, tiefen Zug zu tun, und erst dann und nicht früher gab ich Hands den Branntwein. Er hatte mindestens eine Viertelpinte getrunken, ehe er die Flasche absetzte.

»Weiß der Teufel«, sagte er, »aber das hat mir gefehlt.«

Ich hatte mich bereits in meine Ecke gesetzt und angefangen zu essen. »Sehr verletzt?« fragte ich.

Er stöhnte, oder besser gesagt, er bellte.

»Wenn der Doktor an Bord wäre«, sagte er, »wäre ich im Handumdrehn wieder obenauf. Aber siehst du, ich hab eben kein Glück. Das ist nun mal so bei mir. Und dieser Waschlappen da«, fuhr er fort und wies auf die Rotmütze, »der ist tot und erledigt. Das war überhaupt kein Seemann. Und woher kommst du denn jetzt?«

»Ja«, sagte ich, »ich bin an Bord gekommen, um das Schiff zu übernehmen, Mr. Hands, und Ihr wollt mich bitte bis auf weiteres als Euren Kapitän betrachten.«

Er blickte mich ziemlich griesgrämig an, sagte aber nichts. Sein Gesicht hatte wieder etwas Farbe bekommen, obgleich er noch ziemlich krank aussah und immer wieder ausglitt und sich hinlegte, wenn das Schiff rollte.

»Im übrigen«, fuhr ich fort, »kann ich diese Flagge nicht dulden, Mr. Hands, und werde sie, wenn Ihr gestattet, niederholen. Besser gar keine als diese.«

Und wieder schlüpfte ich unter dem Großbaum durch, lief zur Flaggenleine, holte die verfluchte schwarze Flagge nieder und warf sie über Bord.

»Gott schütze den König!« rief ich und schwenkte meine Mütze. »Und Schluß mit Käpt'n Silver!«

Das Kinn noch immer auf der Brust, beobachtete er mich scharf und verschlagen.

»Ich schätze«, sagte er schließlich, »ich schätze, Käpt'n Hawkins, Ihr wollt irgendwo an Land gehen. Wir reden darüber, schätz ich.«

»Ja, allerdings«, erwiderte ich, »mit dem größten Vergnügen, Mr. Hands. Schießt mal los.« Und mit gutem Appetit widmete ich mich meiner Mahlzeit.

»Dieser Mann«, begann er und nickte schwach zu der Leiche hinüber, »O'Brien hieß er – ein stinkender Ire –, dieser Mann und ich haben die Leinwand gesetzt und wollten zurücksegeln. Na, jetzt ist er tot – tot wie ein Klotz, und ich sehe nicht, wer das Schiff fahren soll. Wenn ich dir nicht einen Tip gebe, bist du auch nicht der Mann dazu, soweit ich sehe. Also hör zu. Du gibst mir Essen und Trinken und einen alten Fetzen von einem Sacktuch, um meine Wunde zu verbinden, nicht wahr, und ich sag dir, wie du segeln sollst, und das ist doch eine klare Sache, schätz ich.«

»Eins will ich Euch sagen«, entgegnete ich, »zu Käpt'n Kidds Ankergrund fahre ich nicht zurück. Ich will zur Nordeinfahrt und das Schiff dort ruhig auf Strand setzen.«

»Na klar, Mann!« rief er. »Ich bin doch letzten Endes nicht ein so gottverlassener Lümmel. Ich versteh doch, nicht wahr! Ich hab mein Glück versucht und hab verspielt, und du hast mir den Wind abgewonnen. Nordeinfahrt. Na, mir bleibt ja keine Wahl.«

Also so wie die Sache aussah, schien sie mir ganz vernünftig. So schlossen wir auf der Stelle den Handel ab. Innerhalb von drei Minuten hatte ich die »Hispaniola« so weit, daß sie vor dem Winde leicht die Küste der Schatzinsel entlangsegelte mit guter Aussicht, noch vor Mittag die Nordspitze zu umfahren und vor Hochwasser bis zur Nordeinfahrt zu kommen, wo wir das Schiff ruhig auf Strand setzen und warten konnten, bis die ablaufende Ebbe uns gestattete, an Land zu gehen.

Dann zurrte ich die Ruderpinne fest und ging hinunter zu meiner eigenen Kiste, aus der ich ein weiches seidenes Taschentuch meiner Mutter hervorholte. Damit half ich Hands, die große blutende Stichwunde im Schenkel zu verbinden. Nachdem er ein wenig gegessen und ein paar Schluck von dem Branntwein zu sich genommen hatte, erholte er sich sichtlich, saß aufrechter, sprach lauter und klarer und war in jeder Weise wieder ein anderer Mensch.

Die Brise war uns außerordentlich günstig. Wie ein Vogel flogen wir vor ihr her, die Inselküste glitt an uns vorüber, und die Aussicht wechselte mit jeder Minute. Ich war sehr stolz auf mein neues Kommando und freute mich über das helle sonnige Wetter und die wechselnden Bilder der Küste. Ich hatte reichlich Wasser und gute Dinge zu essen, und mein Gewissen, das mich wegen meines Auskneifens sehr gequält hatte, war beruhigt durch die große Eroberung, die ich gemacht hatte. Mir wäre, wie ich mir einbildete, nichts zu wünschen übriggeblieben, wären nicht die Augen des Beibootsführers gewesen, die mich höhnisch über das ganze Deck verfolgten, und das seltsame Lächeln, das immer wieder auf seinem Gesicht erschien.

Israel Hands

Der Wind, der ganz unseren Wünschen entsprach, drehte jetzt nach West. Um so leichter erreichten wir von der Nordostspitze der Insel aus die Mündung der Nordeinfahrt. Da wir aber nicht ankern konnten und nicht wagten, das Schiff auf Strand laufen zu lassen, ehe die Tide ein gut Teil höher gestiegen war, wurde uns die Zeit lang. Der Beibootsführer belehrte mich, wie ich es anstellen mußte, das Schiff beigedreht liegen zu lassen; nach mehreren Versuchen gelang es mir, und wir setzten uns beide schweigend wieder zum Essen nieder.

»Käpt'n«, sagte er schließlich mit dem gleichen unbehaglichen Lächeln, »da ist noch mein alter Kamerad O'Brien. Schätze, Ihr wollt ihn über Bord geworfen haben. Ich bin im allgemeinen nicht penibel und mache mir keine Vorwürfe, ihn kaltgemacht zu haben, aber ich glaube, er ist hier nicht sehr dekorativ. Meint Ihr nicht auch?«

»Dazu bin ich nicht stark genug«, erwiderte ich. »Außerdem paßt mir die Arbeit nicht, und meinetwegen kann er liegenbleiben.«

»Das ist ein Unglücksschiff, diese ›Hispaniola‹ hier, Jim«, fuhr er blinzelnd fort. »Ein Haufen Männer ist auf dieser ›Hispaniola‹ schon umgebracht worden. Mein Lebtag hab ich noch nicht so ein dreckiges Pech gehabt, wirklich nicht. Da war nun dieser O'Brien hier – der ist nun tot – oder nicht? Na ja, ich bin kein gelehrter Mann, aber du bist ein Junge, der lesen kann und sich Gedanken macht, und – ehrlich gesagt – glaubst du, daß ein Toter wirklich tot ist, oder kommt er lebendig wieder?«

»Den Körper könnt Ihr töten, Mr. Hands, aber nicht die Seele, das müßt Ihr doch wissen«, erwiderte ich. »O'Brien dort ist in einer anderen Welt, und vielleicht beobachtet er uns.«

»Ach«, sagte er, »das ist ein Unglück. Scheint so, daß es Zeitverschwendung ist, die Leute umzubringen. Aber immerhin, Geister zählen nicht groß, soviel ich weiß. Mit Geistern nehm ich's noch auf, Jim. Und jetzt, nachdem du so frei von der Leber geredet hast, fände ich es sehr nett von dir, wenn du in die Kajüte runtergehen wolltest, um mir 'ne Buddel von dem – na, so 'ne Buddel Wein raufbringen würdest, Jim; dieser Schnaps hier steigt mir in den Kopf.«

Nun, das Zögern des Beibootsführers schien mir unnatürlich und seine Bemerkung, er ziehe den Wein dem Schnaps vor, glaubte ich ihm keinen Augenblick. Das Ganze war ein Vorwand. Er wollte mich von Deck wegbringen, das war klar, aber zu welchem

Zweck, das konnte ich mir nicht denken. Seine Augen mieden die meinen. Sie gingen unstet umher, auf und nieder. Die ganze Zeit lächelte er und streckte so schuldbewußt und verlegen die Zunge heraus, daß ein Kind hätte sagen können, er führe Verrat im Schilde. Trotzdem antwortete ich ihm sofort, denn sogleich sah ich, wo mein Vorteil war, und daß ich einem so stockdummen Kerl meinen Verdacht leicht verbergen konnte.

»Wein?« fragte ich. »Das ist auch viel besser. Wollt Ihr weißen oder roten?«

»Na, das ist mir wurstegal, Kamerad«, entgegnete er. »Was macht das schon aus, wenn er nur kräftig und reichlich ist.«

»Sehr schön«, antwortete ich. »Ich bringe Euch Portwein, Mr. Hands, aber ich werde danach suchen müssen.«

Dann polterte ich mit möglichst viel Lärm die Treppe hinab, schlüpfte aus meinen Schuhen und lief leise den Gang entlang. Dann stieg ich die Vorderleiter hoch und steckte den Kopf durch die Luke. Ich wußte, daß er mich dort nicht vermuten würde, aber ich war so vorsichtig wie nur möglich, und tatsächlich, mein schlimmster Verdacht bewahrheitete sich.

Er hatte sich aus seiner liegenden Stellung auf Hände und Knie aufgerichtet, und obgleich sein Bein ihm offenbar bei jeder Bewegung starke Schmerzen verursachte – denn ich hörte ihn ein Stöhnen unterdrücken –, schleppte er sich doch mit einem ganz schönen Tempo über das Deck. Binnen einer halben Minute hatte er die Backbordspeigatten* erreicht und zog aus einer Taurolle ein langes Messer oder vielmehr einen kurzen Dolch, der bis zum Heft mit Blut befleckt war. Einen Augenblick betrachtete er ihn und prüfte die Spitze auf seiner Hand, indem er das Kinn vorschob. Dann verbarg er ihn hastig vorn in seiner Jacke und wälzte sich auf seinen alten Platz am Schanzkleid zurück.

Das war alles, was ich wissen wollte. Israel konnte sich also bewegen; und jetzt war er bewaffnet; und da er sich so viel Mühe gemacht hatte, mich loszuwerden, war es klar, daß ich das Opfer sein sollte.

---

* Speigatten: Öffnungen in der Reling, durch die das Wasser vom Deck abfließt (Anmerkung des Übersetzers).

Aber ich war überzeugt, daß ich ihm in einem Punkt trauen durfte, da darin unsere Interessen übereinstimmten, und das war die Steuerung des Schoners. Wir beide wünschten ihn sicher auf den Strand auflaufen zu lassen, an einer geschützten Stelle und so, daß er zur gegebenen Zeit mit möglichst wenig Mühe und Gefahr wieder flottgemacht werden konnte. Bis das geschehen war, würde er, wie ich annahm, gewiß mein Leben schonen.

Während mir das im Kopf herumging, war ich nicht müßig geblieben. Ich hatte mich zur Kajüte zurückgeschlichen, schlüpfte wieder in meine Schuhe, ergriff aufs Geratewohl eine Flasche Wein und erschien mit ihr als Alibi wieder auf Deck.

Hands lag, wie ich ihn verlassen hatte, völlig zusammengesunken und mit niedergeschlagenen Augenlidern da, als wäre er zu schwach, das Licht zu ertragen. Indes blickte er auf, als ich kam, brach der Flasche den Hals wie einer, der so etwas schon oft getan hat, und nahm mit seinem Lieblingstrinkspruch »Auf gut Glück!« einen großen Schluck. Danach lag er eine Weile ruhig da. Dann zog er ein Stück Kautabak heraus und bat mich, ihm ein Ende abzuschneiden.

»Schneid mir 'nen Priem davon ab«, sagte er. »Ich hab kein Messer, und wenn ich eins hätte, wär ich zu schwach dazu. Jetzt geht's zum letzten Hafen, da irr ich mich nicht.«

»Schön«, sagte ich, »ich werde Euch etwas Tabak abschneiden. Aber wenn ich an Eurer Stelle wäre und fühlte mich so schlecht, dann machte ich mich ans Beten wie ein Christenmensch.«

»Warum?« erwiderte er. »Sag mal warum?«

»Warum?« rief ich. »Eben erst habt Ihr mich über den Tod ausgefragt. Ihr habt die Treue gebrochen. Ihr habt in Sünde, Lüge und Blut gelebt. Da liegt in diesem Augenblick noch ein Mann zu Euren Füßen, den Ihr umgebracht habt, und Ihr fragt mich warum! Um Gottes Erbarmen, Mr. Hands – darum!«

Ich sprach etwas erregt, weil ich an den blutigen Dolch dachte, den er in seiner Tasche verborgen hatte und mit dem er mich umzubringen beabsichtigte. Er seinerseits nahm einen großen Schluck Wein und begann in ungewöhnlich feierlichem Ton: »Dreißig Jahre lang«, sagte er, »bin ich zur See gefahren und habe Gutes und Böses, Besseres und Schlimmeres, schönes und schlechtes Wetter, zu Ende gehende Vorräte, gezogene Messer und was weiß ich alles gesehen. Ja, und jetzt sag ich dir: Noch nie habe ich gesehen, daß Gutes vom Gutsein kommt. Den anderen zuerst treffen, das ist meine Devise. Tote Hunde beißen nicht, das ist meine Ansicht – Amen, so sei es! Und jetzt aufgepaßt!« fuhr er in plötzlich wechselndem Ton fort. »Nun Schluß mit diesem Unsinn. Die Tide ist jetzt hoch genug. Achtet auf mein Kommando, Käpt'n Hawkins, dann sind wir im Handumdrehen drin, und die Sache ist geschafft.«

Alles in allem hatten wir kaum zwei Meilen vor uns, aber die Navigation war schwierig. Die Einfahrt zu diesem nördlichen Ankergrund war nicht nur eng und seicht, sondern verlief auch von Ost nach West, so daß der Schoner sehr sorgfältig manövriert werden mußte, um hineinzukommen. Ich glaube, ich war ein guter, fixer Untergebener, und ich bin überzeugt, daß Hands ein ausgezeichneter Lotse war, denn wir wanden uns sicher und sauber zwischen den Sandbänken hindurch.

Kaum hatten wir die Vorgebirge passiert, als das Land sich um uns schloß. Die Ufer der Nordeinfahrt waren ebenso dicht bewaldet wie die des südlichen Ankerplatzes. Aber die Einfahrt war länger und schmäler und glich mehr – was sie auch wirklich war – einer Flußmündung.

»So«, sagte Hands, »sieh, das ist eine schöne Stelle, um ein Schiff auf den Strand zu setzen. Schöner flacher Sand, kein Lüftchen regt sich hier, und ringsum Bäume.«

»Und wenn wir das Schiff auf den Strand gesetzt haben, wie kriegen wir es wieder flott?«

»Ganz einfach«, erwiderte er. »Bei Niedrigwasser nimmst du eine Leine auf die andere Seite mit an Land und legst eine Schlinge um eine von den dicken Fichten. Dann bringst du das Ende zurück, legst es um das Gangspill und bleibst liegen bis zur Tide. Ist das Hochwasser da, ziehen alle Mann an der Leine, und los geht's wie von selber. Und jetzt, Junge, halt dich klar! Jetzt sind wir dicht dabei. Wir haben etwas zuviel Fahrt. Etwas Steuerbord – so – recht so – Steuerbord – Backbord etwas – recht so – recht so!«

So gab er seine Kommandos, die ich atemlos befolgte, bis er plötzlich schrie: »Jetzt mein Goldjunge, luv!« Und ich drückte scharf gegen das Ruder, so daß die »Hispaniola« schnell herumschor und, den Steven voran, auf das niedrige, bewaldete Ufer lief.

Die Erregung der letzten Manöver hatte meine Wachsamkeit, mit der ich bis dahin den Beibootsführer im Auge behalten hatte, etwas beeinträchtigt. Gerade in diesem Augenblick wartete ich so gespannt darauf, daß der Schoner das Land berührte, daß ich die Gefahr vergaß, die über meinem Haupt schwebte. Ich lehnte mich über die Steuerbordreling und beobachtete die Wellen, die sich weit über die Bucht hin ausbreiteten. Ich wäre kampflos niedergemacht worden, hätte mich nicht eine plötzliche Unruhe erfaßt und mich veranlaßt, den Kopf zu wenden. Vielleicht hatte ich ein Knarren gehört oder aus einem Augenwinkel seinen Schatten sich bewegen sehen, vielleicht war es Instinkt wie bei einer Katze. Auf jeden Fall war Hands, als ich mich umsah, schon auf dem halben Wege zu mir.

Wir müssen beide laut geschrien haben, als unsere Blicke sich begegneten, doch während ich einen schrillen Schreckensschrei ausstieß, brüllte er vor Wut wie ein angreifender Stier. In demselben Augenblick warf er sich vorwärts, und ich sprang zur Seite auf den Bug zu. Dabei ließ ich die Ruderpinne los, die jäh nach Lee sprang. Ich glaube, das rettete mir das Leben, denn sie schlug Hands gegen die Brust und hielt ihn für einen Augenblick auf der Stelle fest.

Ehe er sich erholte, war ich heil aus dem Winkel heraus, in dem er mich gefangen hatte, und nun hatte ich das ganze Deck für mich. Gerade vor dem Großmast blieb ich stehen und zog eine Pistole aus der Tasche, zielte kaltblütig, obgleich er sich wieder umgewandt hatte und auf mich zukam, und drückte ab. Der Hahn schnappte, aber es folgte weder Blitz noch Knall. Das Seewasser hatte die Zündung verdorben. Ich verwünschte mich selbst wegen meiner Nachlässigkeit. Warum hatte ich nicht schon längst meine einzigen Waffen neu geladen und mit Zündpulver versehen?

Es war erstaunlich, wie schnell er sich trotz seiner Verwundung bewegen konnte. Sein graues Haar fiel ihm in die Stirn, und sein Gesicht lief vor Hast und Wut rot an. Ich hatte keine Zeit, meine andere Pistole zu versuchen, und auch keine Lust dazu, denn ich war überzeugt, daß es vergebens sein würde. Eins erkannte ich deutlich: Ich konnte mich nicht einfach vor ihm zurückziehen, denn dann würde er mich in den Bug drängen, wie er mich einen Augenblick vorher beinahe in das Heck gedrängt hatte. War ich einmal so gefangen, dann würden neun oder zehn Zoll des blutbefleckten Dolches meine letzte Erfahrung diesseits der Ewigkeit sein. Die Handflächen gegen den Großmast gestemmt, der eine ganz schöne Dicke hatte, stand ich da, jeden Nerv gespannt, und wartete.

Als er sah, daß ich auf Kniffe aus war, blieb auch er stehen, und ein Weilchen verging mit Finten seinerseits und entsprechenden Bewegungen von mir. Es war ein Spiel, wie ich es zu Hause zwischen den Felsen der Black-Hill-Bucht oft gespielt hatte, aber ganz gewiß nie zuvor mit einem so wild klopfenden Herzen. Letzten Endes war es aber, wie ich sage, ein Spiel für Knaben, und gegenüber einem älteren Seemann mit einem verwundeten Bein glaubte ich mich behaupten zu können. Tatsächlich war mein Mut schon wieder so sehr gewachsen, daß ich mir einige schnelle Gedanken darüber gestattete, wie es wohl auslaufen würde; und wenn ich auch glaubte, es lange hinausziehen zu können, so sah ich doch keine Hoffnung auf ein endgültiges Entkommen.

Während die Sache so stand, lief die »Hispaniola« plötzlich auf, schwankte, bohrte sich einen Augenblick lang in den Sand und kippte schlagartig nach Backbord über, bis das Deck sich in einem Winkel von fünfundvierzig Grad neigte, so daß eine Menge Wasser durch die Speigatten hereindrang und zwischen Deck und Schanzkleid einen See bildete.

Im Augenblick wurden wir beide umgeworfen und rollten fast gleichzeitig in die Speigatten. Immer noch mit gespreizten Armen rutschte die Rotmütze steif hinter uns her. So nahe kamen wir uns, daß mein Kopf gegen den Fuß des Bootsführers knallte, so daß mir die Zähne klapperten. Trotz allem war ich als erster wieder auf den Beinen, denn Hands war mit der Leiche in Konflikt gekommen. Das plötzliche Kippen des Schiffes hatte das Laufen auf dem Deck sehr schwierig gemacht. Ich mußte auf andere Weise versuchen zu entkommen, und zwar augenblicklich, denn mein Gegner berührte mich bereits. Im Nu sprang ich in die Besanwanten*, sauste Hand über Hand hoch und gönnte mir keinen Atemzug, bis ich auf der Dwarssaling** saß.

Meine Schnelligkeit hatte mich gerettet. Kaum einen halben Fuß unter mir fuhr der Dolch ins Holz, als ich hinaufkletterte; und da stand Hands mit offenem Mund, das Gesicht nach oben gewandt, ein vollkommenes Bild der Überraschung und Enttäuschung.

Jetzt konnte ich einen Augenblick verschnaufen und nutzte die Zeit, indem ich die Zündung meiner Pistole erneuerte, und nachdem ich die eine schußbereit gemacht hatte, sicherte ich mich doppelt, indem ich die Ladung der anderen Pistole entfernte und sie ganz neu lud.

Meine neue Beschäftigung warf Hands' Pläne völlig über den Haufen. Es ging ihm auf, daß sich das Spiel gegen ihn wandte. Nach einem offensichtlichen Zaudern stieg er selbst schwerfällig in die Wanten, und, den Dolch zwischen den Zähnen, begann er langsam und mühsam hochzuentern. Es kostete ihn endlose Zeit und viel Stöhnen, sein verwundetes Bein nachzuziehen, und ich war mit meinen Vorbereitungen zu Ende, ehe er ein Drittel des Weges zurückgelegt hatte. Dann sprach ich ihn an, in jeder Hand eine Pistole.

»Noch einen Schritt, Mr. Hands«, sagte ich, »und ich blase Euch das Gehirn aus dem Kopf. Tote Hunde beißen nicht, das wißt Ihr doch«, fuhr ich grinsend fort.

Sofort machte er halt. Ich sah ihm am Gesicht an, daß er versuchte nachzudenken, und das gelang ihm so langsam und mit so viel Mühe, daß ich in meiner neugefundenen Sicherheit laut auflachte. Schließlich schluckte er ein paarmal und begann, immer noch mit derselben bestürzten Miene, zu sprechen. Dazu mußte er den Dolch aus dem Munde nehmen, aber im übrigen bewegte er sich nicht.

»Jim«, fing er an, »wir haben beide verloren, du und ich, schätz ich, und wir werden Frieden schließen müssen. Ich hätte dich

* Taue, die zum Abstützen des Mastes seitlich am Schiffsrumpf befestigt sind (Anmerkung des Übersetzers).
** Querliegende Balken am oberen Ende des Mastes (Anmerkung des Übersetzers).

gehabt, hätte es nicht geschlingert. Aber ich habe kein Glück, weiß der Teufel, und ich muß die Flagge streichen, schätz ich, und gegenüber einem Schiffsjungen, wie du einer bist, Jim, kommt das einen ausgelernten Seemann schwer an.«

Lächelnd sog ich seine Worte ein, stolz wie der Hahn auf dem Mist, als im Nu seine rechte Hand über seine Schulter flog. Wie ein Pfeil schwirrte etwas durch die Luft. Ich empfand einen Stoß und einen scharfen Schmerz, und dann war ich mit der Schulter an den Mast genagelt. Bei diesem furchtbaren, stechenden Schmerz und der Überraschung des Augenblicks – ich kann kaum sagen, ob es mit Willen geschah, und mit Sicherheit weiß ich, daß ich ohne bewußtes Zielen handelte – gingen meine beiden Pistolen los und fielen mir aus den Händen. Sie fielen nicht allein, denn mit einem erstickten Schrei ließ der Bootsführer seinen Halt an den Wanten los und stürzte kopfüber ins Wasser.

»Piaster«

Infolge der schrägen Lage des Schiffes ragten die Masten weit über das Wasser hinaus, und auf meinem Sitz auf der Dwarssaling hatte ich nichts unter mir als die Oberfläche der Bucht. Hands, der nicht so weit emporgestiegen war, befand sich infolgedessen näher am Schiffsrumpf und fiel zwischen mir und dem Schanzkleid hinab. In einem Schaum von Blut und Blasen tauchte er noch einmal an die Oberfläche und sank dann für immer unter. Als das Wasser sich beruhigte, konnte ich ihn zusammengekrümmt im Schatten des Schiffes auf dem reinen hellen Sand liegen sehen. Ein paar Fische schossen über ihn hinweg. Einige Male schien er, wenn sich die Wasseroberfläche kräuselte, sich ein wenig zu bewegen, als wenn er versuchte, sich zu erheben. Aber trotzdem war er wirklich tot, erschossen und gleichzeitig ertrunken, und war Futter für die Fische an derselben Stelle, an der er beschlossen hatte, mich umzubringen.

Kaum kam mir dies zum Bewußtsein, als ich mich krank, schwach und erschreckt fühlte. Das warme Blut lief mir über Rükken und Brust. Der Dolch schien da, wo er mich an den Mast genagelt hatte, wie heißes Eisen zu brennen, aber es waren nicht so sehr diese körperlichen Schmerzen, die mich quälten, denn die glaubte ich ohne Murren erdulden zu können, als vielmehr die Angst, von der Dwarssaling in das stille grüne Wasser neben den Körper des Beibootsführers hinabzufallen.

Mit beiden Händen klammerte ich mich fest, bis mir die Nägel schmerzten, und schloß die Augen, wie um die Gefahr nicht zu sehen. Langsam kehrte die Überlegung zurück.

Mein erster Gedanke war, den Dolch herauszuziehen, aber entweder steckte er zu tief oder meine Nerven versagten den Dienst. Mit einem heftigen Schaudern gab ich es auf. Seltsamerweise tat mir das Schaudern den gewünschten Dienst. Die Klinge hätte mich nämlich um ein Haar verfehlt. Sie hielt mich nur an einem kleinen Hautende fest, und dieses riß durch das Schaudern ab. Allerdings strömte das Blut nun noch heftiger, aber ich war wieder Herr meiner selbst und hing nur noch mit Jacke und Hemd am Mast fest. Die riß ich mit einem plötzlichen Ruck ab und gelangte über die Steuerbordwanten wieder auf Deck. Um nichts in der Welt hätte ich mich bei meinem Zittern über die überhängenden Backbordwanten wieder hinuntergewagt, von denen Israel soeben erst hinabgefallen war.

Ich ging hinab und versorgte meine Wunde, so gut es ging. Sie schmerzte mich nicht wenig und blutete noch stark, aber sie war weder tief noch gefährlich und behinderte mich nicht sehr, wenn ich den Arm bewegte. Dann blickte ich um mich, und da das Schiff jetzt in gewissem Sinne mein Eigentum war, dachte ich daran, es von seinem letzten Passagier, dem toten O'Brien, zu befreien.

Er war, wie ich schon sagte, gegen das Schanzkleid gefallen und lag dort wie eine schreckliche große, plumpe Puppe, in Lebensgröße zwar, aber ganz ohne jede Lebensfarbe und Lebensfrische! In dieser Lage hatte ich leichtes Spiel mit ihm, und da die Gewöhnung an tragische Abenteuer meine Furcht vor dem Tode fast ganz verscheucht hatte, faßte ich ihn um den Leib, als wäre er ein Sack voll Kleie, und warf ihn mit einem kräftigen Schwung über Bord. Mit lautem Plumpsen fiel er ins Wasser. Die rote Mütze tauchte auf und trieb auf der Oberfläche, und als die Flut sich wieder geglättet hatte, sah ich ihn Seite an Seite neben Israel liegen, und beide schwankten in der zitternden Bewegung des Wassers. O'Brien war, obgleich er noch ein junger Mann war, völlig kahl. Da lag er mit seinem unbehaarten Kopf zwischen den Knien des Mannes, der ihn umgebracht hatte, und die Fische schossen über beide schnell hin und her.

Jetzt war ich allein auf dem Schiff, und soeben war die Tide gekentert. Die Sonne stand schon tief am Horizont. Die Abendbrise hatte sich erhoben, und obgleich der Berg mit den beiden Gipfeln im Osten guten Schutz bot, hatte die Takelung leise zu singen begonnen, und das schlaffe Segel schlug hin und her. Inzwischen war der ganze Ankerplatz in den Schatten gerückt. Es begann kalt zu werden. Schnell strömte die Tide seewärts, und der Schoner neigte sich immer mehr.

Ich kroch nach vorne und blickte über die Reling. Es schien mir seicht genug, und als letzte Sicherheit hielt ich mich mit beiden Händen an dem gekappten Ankertau und ließ mich langsam über Bord gleiten. Das Wasser reichte mir kaum bis zum Leib. Der Sand war hart und von den Wellen gefurcht. In guter Laune watete ich an Land und ließ die »Hispaniola« auf der Seite liegen. Ihr Großsegel trieb breit auf der Oberfläche der Bucht. Zu dieser Zeit ging die Sonne vollends unter, und in der Dämmerung rauschte die Brise leise in den schwankenden Fichten.

Wenigstens war ich endlich wieder von der See zurück und war nicht mit leeren Händen gekommen. Schließlich lag da der Schoner, von den Seeräubern gesäubert und bereit, unsere Leute an Bord zu nehmen und in See zu stechen.

Mit diesen Gedanken und in bester Laune machte ich mich heimwärts nach dem Blockhaus und zu meinen Gefährten auf den Weg. Ich entsann mich, daß der am weitesten östliche der Flüsse, die in Kapitän Kidds Ankergrund mündeten, von dem zweigipfeligen Berg zu meiner Linken her kam, und so bog ich auf meinem Weg in dieser Richtung ab, damit ich den Fluß überschreiten konnte, solange er noch schmal war. Der Wald war ziemlich licht, und indem ich mich an den niedrigen Ausläufern entlanghielt, hatte ich bald die Ecke des Berges passiert und watete bis zur Hälfte der Unterschenkel durch den Flußlauf.

Jetzt kam ich in die Nähe der Stelle, wo ich Ben Gunn, den Ausgesetzten, getroffen hatte. Ich ging vorsichtiger und hielt nach allen Seiten Ausschau. Es war beinahe ganz finster geworden, und als ich die Schlucht zwischen den beiden Gipfeln erkannte, gewahrte ich gegen den Himmel einen lodernden Schein, wo, wie ich glaubte, der Inselmensch an einem prasselnden Feuer sein Abendbrot bereitete.

Nach und nach wurde es immer finsterer. Ich konnte nur noch ungefähr die Richtung nach meinem Bestimmungsplatz einhalten. Der doppelte Berg hinter mir und das Fernrohr zu meiner Rechten schimmerten schwächer und schwächer. Die Sterne leuchteten nur vereinzelt und schwach, und in der flachen Senke, durch die ich wanderte, stolperte ich immer wieder über Büsche oder fiel in Sandlöcher.

Plötzlich traf mich ein Schimmer. Ich blickte auf. Fahles Mondlicht fiel auf den Gipfel des Fernrohrs, und bald darauf sah ich tief hinter den Bäumen etwas Breites, Silbernes aufsteigen und wußte, daß der Mond aufgegangen war.

Mit seiner Hilfe brachte ich schnell den Rest meines Weges hinter mich und näherte mich teils gehend, teils laufend ungeduldig dem Blockhaus. Indes war ich, als ich das davorliegende Wäldchen durchquerte, vorsichtig genug, meine Schritte zu verlangsamen und etwas behutsamer zu gehen. Das wäre ein armseliges Ende meines Abenteuers gewesen, wenn mich meine eigene Partei irrtümlicherweise niedergeschossen hätte.

Schließlich kam ich an den Rand der Lichtung. Das westliche Ende lag bereits im Schein des Mondes, das übrige und das Blockhaus befanden sich noch in dunklem Schatten, der von langen silbernen Lichtstreifen unterbrochen wurde. Auf der anderen Seite des Hauses war ein riesiges Holzfeuer zu Aschenglut niedergebrannt und sandte in starkem Gegensatz zu dem milden, fahlen Licht des Mondes einen stetigen roten Schein aus. Keine Menschenseele rührte sich, und außer dem Rauschen des Windes war kein Ton zu vernehmen.

Sehr erstaunt und vielleicht auch etwas ängstlich blieb ich stehen. Es war nicht unsere Art gewesen, hohe Feuer aufzuschichten, vielmehr waren wir auf Anordnung des Kapitäns mit unserem

Brennholz etwas geizig. Furcht überkam mich, während meiner Abwesenheit könnte etwas schiefgegangen sein.

Ich schlich mich zur östlichen Seite herum. Dabei hielt ich mich ganz im Schatten und überkletterte an einer geeigneten Stelle, wo die Finsternis am dichtesten war, die Palisade.

Um ganz sicher zu gehen, ließ ich mich auf Hände und Knie nieder und kroch lautlos bis an die Ecke des Hauses. Als ich näher kam, wurde mir plötzlich leichter ums Herz. An sich ist es kein erhebendes Geräusch, und zu anderen Zeiten habe ich mich oft darüber beklagt. Aber jetzt klang es wie Musik, als ich meine Freunde in ihrem Schlaf so laut und friedlich schnarchen hörte.

Allerdings herrschte über eins kein Zweifel: Sie hielten verteufelt schlecht Wache. Wären es Silver und seine Jungs gewesen, die jetzt zu ihnen hereinkrochen, keine Menschenseele hätte das Tageslicht wiedergesehen. Das kam wohl daher, überlegte ich mir, daß der Kapitän verwundet war, und wieder machte ich mir schwere Vorwürfe, daß ich sie in dieser gefährlichen Lage verlassen hatte, in der sie so wenige hatten, die Wache halten konnten.

Inzwischen war ich an die Tür gekommen und erhob mich. Drinnen war alles finster, so daß ich nichts zu unterscheiden vermochte. Was ich hörte, war das gleichmäßige Schnaufen der Schnarchenden und hin und wieder ein leises Flattern und Picken, das ich mir durchaus nicht erklären konnte.

Mit ausgestreckten Armen ging ich langsam hinein. Ich wollte mich an meinem gewohnten Platz niederlegen – so dachte ich mir mit leisem Kichern – und mich an ihren Mienen freuen, wenn sie mich am Morgen fanden.

Mein Fuß stieß gegen etwas Weiches. Es war das Bein eines Schlafenden. Ohne zu erwachen drehte er sich knurrend um.

Und dann tönte plötzlich eine schrille Stimme durch die Finsternis: »Piaster! Piaster! Piaster! Piaster! Piaster!« und immer weiter, ohne aufzuhören oder sich im Ton zu ändern, wie das Klappern einer Mühle.

Silvers grüner Papagei, Käpt'n Flint! Er war es gewesen, den ich auf einem Stück Rinde hatte picken hören, und er war es, der besser Wache hielt als ein menschliches Wesen und der so meine Ankunft mit seinem eintönigen Kehrreim anzeigte.

Es blieb mir keine Zeit, mich zu fassen. Durch die lauten, abgehackten Schreie des Papageis erwachten die Schläfer und sprangen auf, und mit einem mächtigen Fluch schrie Silvers Stimme: »Wer da?«

Ich wandte mich zur Flucht, stieß heftig gegen den einen, prallte zurück und lief direkt in die Arme eines anderen, der mich umschlang und festhielt.

»Bring eine Fackel, Dick«, sagte Silver, als so meine Gefangennahme gesichert war.

Und einer der Männer verließ das Blockhaus und kehrte mit einem brennenden Holzscheit zurück.

Sechster Teil

Kapitän Silver

Im Lager des Feindes

Als der rote Schein der Fackel das Innere des Blockhauses erleuchtete, bewies er mir, daß sich meine schlimmsten Befürchtungen bewahrheitet hatten. Die Piraten waren im Besitz des Blockhauses und der Vorräte. Da stand das Kognakfäßchen, da lagen wie früher Schweinefleisch und Brot, und was meinen Schrecken noch vermehrte, von den Gefangenen keine Spur. Ich konnte nur annehmen, daß sie alle zugrunde gegangen waren.

Alles in allem waren da sechs Bukanier, sonst war niemand am Leben geblieben. Fünf waren auf den Beinen, gerötet und verschwollen, plötzlich aus dem Schlaf der Trunkenen aufgescheucht. Der sechste hatte sich nur auf seine Ellbogen aufgestützt. Er war leichenblaß, und der blutbefleckte Verband um seinen Kopf zeigte an, daß er vor noch nicht langer Zeit verletzt und erst kürzlich verbunden worden war. Ich erinnerte mich an den Mann, der bei dem großen Angriff angeschossen wurde und in den Wald zurückgelaufen war, und ich zweifelte nicht, daß er es war.

Der Papagei saß auf der Schulter des langen John und putzte sein Gefieder. Dieser selbst sah, wie mir schien, etwas bleicher und ernster aus, als ich es gewohnt war. Er trug noch den feinen Rock, in dem er seine Mission ausgeführt hatte, aber der war vom Tragen sehr mitgenommen.

»Ach«, sagte er, »da ist ja auch Jim Hawkins hereingeschneit. Hol mich der Teufel! Auch da? Na, dann komm. Freut mich sehr.«

Damit setzte er sich rittlings auf das Schnapsfaß und begann seine Pfeife zu stopfen.

»Reich mir mal die Fackel, Dick«, sagte er, und als er gutes Feuer hatte, »so geht's, mein Junge. Steck die Funzel in den Holzhaufen, und ihr, meine Herren, macht es euch bequem, vor Mr. Hawkins braucht ihr nicht aufzustehen. Er wird euch entschuldigen, darauf könnt ihr euch verlassen. Also, Jim«, fuhr er fort, indem er den Tabak nachstopfte, »da wärst du also, eine sehr freudige Überraschung für den armen alten John. Daß du ein gerissener Bursche bist, habe ich gleich gemerkt, als du mir zum erstenmal unter die Augen kamst. Aber das hier geht doch wahrhaftig über meine Begriffe.«

Auf das alles gab ich natürlich keine Antwort, wie man sich denken kann. Sie hatten mich mit dem Rücken gegen die Wand gestellt, und da stand ich und blickte, wie ich hoffte, nach außen hin ganz tapfer, aber mit finsterer Verzweiflung im Herzen, Silver ins Gesicht.

In aller Seelenruhe tat dieser ein paar Züge aus seiner Pfeife und fuhr dann fort: »Also hör mal zu, Jim, da du nun mal hier bist, will ich dir sagen, was ich denke. Ich habe dich immer gern gemocht, das hab ich, weil du ein kluger Junge bist und das Abbild von mir selbst, als ich so jung und hübsch war. Ich hätte immer gern gehabt, daß du mitmachst und deinen Teil bekommst und als Gentleman stirbst, und jetzt, mein Freundchen, bist du soweit. Käpt'n Smollett ist ein feiner Seemann, das gebe ich jeden Tag zu, aber stur, wenn es um die Disziplin geht. Pflicht ist Pflicht, sagt er, und recht hat er. Komm dem Käpt'n nur nicht unter die Augen. Sogar der Doktor will von dir nichts mehr wissen. ›Undankbarer Lümmel‹, hat er gesagt. Kurz und gut, die Sache steht so: Zu deinen eigenen Leuten kannst du nicht mehr zurück, denn sie wollen von dir nichts mehr wissen, und wenn du nicht mit dir allein eine dritte Schiffsbesatzung aufmachen willst, die für sich bleibt, mußt du dich Käpt'n Silver anschließen.«

So weit, so gut. Meine Freunde waren also noch am Leben, und wenn ich auch Silver seine Behauptungen, die Kajütenpartei sei wegen meiner Desertion gegen mich aufgebracht, zum Teil glaubte, so erleichterte mich das Gehörte doch mehr, als es mich schmerzte.

»Davon, daß du in unserer Hand bist, rede ich nicht«, fuhr Silver fort, »obgleich du hier bist, verlaß dich darauf. Wenn es dir bei uns paßt, schön, dann kannst du dich uns anschließen.

Wenn nicht, Jim, dann kannst du frei nein sagen – frei und un-
bekümmert, Kamerad –, und wenn ein sterblicher Seemann ehrlicher reden kann, soll mich der Teufel holen.«

»Kann ich also antworten?« fragte ich mit zitternder Stimme.
Durch all dieses höhnische Gerede fühlte ich die Todesdrohung,
die über mir hing.

»Junge«, sagte Silver, »kein Mensch drängt dich. Nimm deine
Peilung. Keiner von uns will dich hetzen, Kamerad. Die Zeit
vergeht so angenehm in deiner Gesellschaft, verstehst du?«

»Schön«, sagte ich und wurde etwas kühner. »Wenn ich wählen kann, so habe ich ein Recht darauf, zu wissen, was los ist und
warum ihr hier seid und wo meine Freunde sind.«

»Was los ist?« wiederholte einer der Bukanier mit tiefem
Knurren. »Ja, der wär froh, der das wüßte.«

»Du wirst gefälligst deinen Mund halten, bis du gefragt bist,
mein Lieber«, fuhr Silver den Sprechenden wütend an, und dann
antwortete er mir in seinem gewohnten freundlichen Ton: »Gestern morgen, Mr. Hawkins, kommt Dr. Livesey mit einer Parlamentärflagge herunter. Sagt er: ›Käpt'n Silver, Ihr seid abge-
heuert. Das Schiff ist weg.‹ Na, kann sein, daß wir ein Glas getrunken und eins dazu gesungen hatten. Ich will das nicht so
behaupten. Wenigstens hatte keiner von uns Ausguck gehalten.
Wir schauten also hinaus, und beim Donner, das alte Schiff war
weg. Nie habe ich einen Haufen Narren blöder glotzen sehen,
und du kannst dich drauf verlassen, daß ich am blödesten ge-
glotzt habe. ›Also‹, sagt der Doktor, ›woll'n wir verhandeln.‹ Wir
haben verhandelt, er und ich, und hier sind wir: Vorräte, Schnaps,
Blockhaus, das Brennholz, das ihr so vorsorglich gehauen habt.
Und sie, sie sind abgezogen, wohin, weiß ich nicht.«

Wieder zog er ruhig an seiner Pfeife.

»Und damit du dir nicht einbildest, daß du in den Vertrag
einbezogen bist«, fuhr er fort, »hör, was er als letztes sagte.
›Wie viele seid ihr?‹ fragte ich ihn. ›Vier‹, antwortete er. ›Vier,
einer davon verwundet. Was den Jungen angeht, so weiß ich
nicht, wo er steckt; der Teufel soll ihn holen‹, sagte er. ›Mich
kümmert er nicht. Wir haben ihn satt.‹ Das waren seine Worte.«

»Ist das alles?« fragte ich.

»Ja, das ist alles, was du von mir hören sollst, mein Sohn«, erwiderte Silver.

»Schön«, entgegnete ich, »so verrückt bin ich nicht, daß ich nicht weiß, was ich zu erwarten habe. Soll das Schlimmste zum Schlimmen kommen. Das kümmert mich wenig. Ich habe zu viele sterben sehen, seitdem ich mit euch zu tun habe. Aber ein paar Dinge muß ich euch noch sagen«, fuhr ich fort und geriet in immer größere Erregung. »Das erste ist dies: Hier sitzt ihr ziemlich in der Patsche. Schiff verloren, Schatz verloren, Leute verloren. Euer ganzes Unternehmen ist zu Bruch gegangen. Und wenn ihr wissen wollt, wer es getan hat – ich war es! Ich saß in der Apfeltonne in der Nacht, als wir Land sichteten, und habe Euch, John, und Euch, Dick Johnson, und Hands gehört, der jetzt auf dem Grunde des Meeres liegt, und jedes Wort habe ich wiedererzählt, noch ehe eine Stunde vergangen war. Und was den Schoner angeht, ich war es, der das Ankertau gekappt hat, und ich habe die Männer umgebracht, die ihr an Bord hattet, und ich habe ihn dahin geführt, wo ihr ihn nie wiederfinden werdet, keiner von euch. Von Anfang an habe ich die Sache angeführt. Ich fürchte euch nicht. Bringt mich um, wenn ihr wollt, oder verschont mich. Aber eines will ich euch sagen. Wenn ihr mich verschont, soll Vergangenes vergangen sein, und wenn ihr Burschen wegen Seeräuberei vor Gericht kommt, will ich euch herausreißen, so gut ich kann. Ihr habt die Wahl. Bringt noch einen Menschen um, ohne euch selbst damit zu nützen, oder verschont mich und erhaltet euch einen Zeugen, der euch vor dem Galgen rettet.«

Ich schwieg, denn ich war außer Atem, und zu meiner Überraschung rührte sich niemand, und alle starrten mich an wie ebenso viele Schafe. Und während sie immer noch starrten, brauste ich wieder auf: »Und nun, Mr. Silver«, fuhr ich fort, »ich glaube, Ihr seid der beste Mann hier, und wenn es zum Schlimmsten käme, fände ich es nett von Euch, wenn Ihr den Doktor wissen lassen wolltet, wie ich es aufgenommen habe.«

»Ich werde es mir merken«, sagte Silver mit einem so seltsamen Ausdruck, daß ich nicht ums Leben zu entscheiden vermochte, ob er mich wegen meines Verlangens auslache oder ob ihm mein Mut gefallen hatte.

»Noch eins will ich dazu sagen«, rief der alte mahagonibraune Seemann namens Morgan, den ich im Wirtshaus des langen John am Kai in Bristol gesehen hatte, »er war es auch, der den Schwarzen Hund erkannt hat.«

»Ja, und hört zu«, fuhr der Schiffskoch fort, »noch eins will ich sagen, zum Donnerwetter. Es war derselbe Junge, der Billy Bones' Karte geklaut hat. Von Anfang bis zum Ende sind wir auf Jim Hawkins gestoßen.«

»Dann also los!« schrie Morgan fluchend, sprang auf und zog sein Messer, als wenn er noch zwanzig wäre.

»Weg da!« schrie Silver. »Wer bist du denn, Tom Morgan? Vielleicht bildest du dir noch ein, du bist der Käpt'n hier? Weiß der Teufel, ich will dich eines Besseren belehren! Komm mir nur in die Quere, und du wirst dahin gehen, wo schon viele gute Männer vor dir hingegangen sind vom Anfang bis zum Ende, die letzten dreißig Jahre. Mir hat noch keiner widersprochen, Tom Morgan, und hinterher noch einen guten Tag gehabt, darauf kannst du dich verlassen.«

Morgan schwieg, aber unter den anderen erhob sich heiseres Gemurmel.

»Tom hat recht«, sagte einer.

»Ich bin von einem lange genug geschliffen worden«, fuhr ein anderer fort, »und ich laß mich hängen, wenn ich mich auch noch von dir schleifen lasse, John Silver.«

»Wünscht einer von den Herren mit mir anzubinden?« brüllte Silver und beugte sich von seinem Sitz auf dem Faß vor, die noch glimmende Pfeife in der Rechten. »Sprecht aus, was ihr wollt, ihr seid ja nicht stumm, schätz ich. Wer was will, soll es haben. Ihr kennt die Regeln. Ihr seid alle Glücksritter auf eigene Rechnung. Schön, ich bin bereit. Wer es wagt, nimmt ein Entermesser, und ich werde mir die Farbe von seiner Innenseite ansehen, trotz meiner Krücke, ehe meine Pfeife leer ist.«

Keiner rührte sich; keiner antwortete.

»Von der Sorte seid ihr also!«, fuhr er fort und steckte die Pfeife wieder in den Mund. »Na, ihr seid mir ein schöner Haufen, zum Anschauen auf jeden Fall, aber zum Kämpfen taugt ihr nichts. Aber vielleicht versteht ihr die Sprache König Georgs. Ich bin hier euer gewählter Käpt'n. Ich bin Käpt'n, weil ich der beste Mann bin auf eine Seemeile in der Runde. Kämpfen wollt ihr nicht, wie es sich für Glücksritter gehört, dann werdet ihr gehorchen, zum Donnerwetter, darauf könnt ihr euch verlassen. Ich mag den Jungen; einen besseren habe ich noch nicht gesehen. Er ist mehr Mann als so ein paar Ratten von euch hier in diesem Hause, und was ich sage, ist das: Laßt mich den sehen, der Hand an ihn legt – das ist das, was ich sagen will, und darauf könnt ihr euch verlassen.«

Danach folgte ein langes Schweigen. Ich stand aufrecht an der Wand, und mein Herz ging wie ein Schmiedehammer, aber jetzt leuchtete ein Hoffnungsstrahl in mein Herz. Die Arme gekreuzt, die Pfeife in einem Mundwinkel, lehnte Silver sich zurück gegen die Wand, so ruhig, als wäre er in der Kirche, aber seine Blicke gingen verstohlen hin und her, und durch die Augenwinkel beobachtete er seine unbotmäßige Gefolgschaft. Diese zog sich ihrerseits gemeinsam in die entgegengesetzte Ecke des Blockhauses zurück, und das leise Zischeln ihres Flüsterns klang stetig wie strömendes Wasser an mein Ohr. Einer nach dem anderen blickten sie auf, und das rote Licht der Fackel fiel für einen Moment auf ihre erregten Gesichter. Aber nicht auf mich, sondern auf Silver richteten sie ihre Blicke.

»Ihr scheint ja viel zu sagen zu haben«, bemerkte Silver und spuckte in weitem Bogen aus. »Legt los und laßt hören, oder macht Schluß.«

»Mit Verlaub, Sir«, erwiderte einer der Männer, »Ihr springt mit einigen von den Regeln ziemlich frei um. Vielleicht seid Ihr so freundlich und habt ein Auge auf die übrigen. Diese Mannschaft hat ihre Rechte wie jede andere Mannschaft. Ich bin so frei, das zu sagen, und nach Euren eigenen Regeln, schätz ich, dürfen wir miteinander reden. Mit Verlaub, Sir, ich erkenne an, daß Ihr im Augenblick Käpt'n seid, aber ich verlange mein Recht und gehe nach draußen, um zu beratschlagen.«

Und damit salutierte der Bursche, ein langer, übelaussehender, gelbäugiger Mann von etwa fünfunddreißig Jahren, umständlich, ging kaltblütig zur Tür und verschwand aus dem Hause. Die übrigen folgten einer nach dem anderen seinem Beispiel. Jeder salutierte im Vorbeigehen, und jeder fügte ein paar entschuldigende Worte hinzu.

Der Schiffskoch legte sofort seine Pfeife beiseite.

»Nun hör mal zu, Jim Hawkins«, begann er mit gleichbleibendem, kaum hörbarem Flüstern. »Du stehst mit einem Bein im Grabe und, was noch schlimmer ist, auf der Folter. Sie sind dabei, mich hinauszuschmeißen. Aber merk dir, ich stehe zu dir durch dick und dünn. Ich hatte nicht die Absicht, nein, nicht ehe du gesprochen hattest. Ich war völlig verzweifelt und glaubte diesen ganzen Zaster zu verlieren und obendrein gehängt zu werden. Aber ich sehe, du bist der richtige Kerl. Da sage ich mir, du stehst zu Hawkins, John, und Hawkins steht zu dir. Du bist seine letzte Karte und, beim lebendigen Donner, John, er ist deine. Schulter an Schulter, sage ich. Du rettest deinen Zeugen, und er rettet deinen Hals.«

Langsam ging mir ein Licht auf.

»Ihr meint, alles ist verloren?« fragte ich.

»Ja, bei Gott, das meine ich«, antwortete er. »Schiff verloren, Hals verloren – so steht's. Als ich in die Bucht schaute und keinen Schoner mehr sah, na, ich bin zäh, aber da hab ich's aufgegeben. Dieser Haufen da und ihre Beratung, merk es dir, das sind ausgemachte Idioten und Feiglinge. Ich rette dein Leben, wenn ich es kann, vor ihnen. Aber schau her, Jim – Wurst wider Wurst –, du rettest den langen John vorm Baumeln.«

Ich war verwirrt. Es schien mir so aussichtslos, was er verlangte – er, der alte Bukanier, der Rädelsführer von Anbeginn.

»Was ich tun kann, werde ich tun«, antwortete ich.

»Das ist ein Geschäft«, rief der lange John. »Du wirst mutig sprechen und, zum Donnerwetter, ich habe eine Chance.«

Er humpelte zu dem Holzstoß, in dem die Fackel steckte, und zündete seine Pfeife wieder an.

»Du mußt mich verstehen, Jim«, sagte er zurückkehrend. »Ich habe einen Kopf auf den Schultern. Jetzt bin ich auf seiten des Squire. Ich weiß, du hast das Schiff heil irgendwohin gebracht. Hands und O'Brien, schätze ich, sind erledigt. Von diesen beiden habe ich nie viel gehalten. Jetzt gib mal acht. Ich werde keine Frage stellen und auch nicht zulassen, daß die anderen es tun.

Ich weiß, wann ein Spiel aus ist, und ich kenne auch einen tüchtigen Jungen. Ach, du mit deiner Jugend, du und ich, wir hätten eine Wucht leisten können.«

Er zapfte etwas Kognak aus dem Fäßchen in ein Zinnkännchen.

»Willst du kosten, Kamerad?« fragte er und fuhr fort, als ich ablehnte: »Na, ich nehme einen Schluck, Jim. Für den kommenden Krach brauche ich eine Stärkung. Dabei fällt mir gerade ein: Warum hat mir der Doktor wohl die Karte gegeben, Jim?«

Mein Gesicht verriet ein so ungekünsteltes Erstaunen, daß er die Nutzlosigkeit weiterer Fragen einsah.

»Doch ja, er hat's getan, trotzdem«, fuhr er fort. »Da steckt etwas dahinter, zweifellos – etwas auf jeden Fall steckt dahinter, Jim, Schlechtes oder Gutes.«

Und er nahm noch einen Schluck Branntwein und schüttelte seinen großen blonden Kopf wie einer, der auf das Schlimmste gefaßt ist.

Noch einmal der Schwarze Fleck

Die Beratung der Bukanier hatte schon einige Zeit gedauert, als einer von ihnen in das Haus zurückkehrte und mit demselben Salutieren, das mir etwas ironisch vorkam, sich für einen Augenblick die Fackel ausbat. Silver willigte kurz ein, der Abgesandte zog sich wieder zurück und ließ uns beide im Dunkeln sitzen.

»Jim, es zieht eine Brise auf«, sagte Silver, der inzwischen einen freundlichen, vertraulichen Ton angeschlagen hatte.

Ich wandte mich zu der nächsten Schießscharte und blickte hinaus. Die Glut des großen Feuers war so weit ausgebrannt und glomm nur noch schwach und dunkel, daß ich verstand, weshalb die Verschwörer eine Fackel verlangt hatten. Sie hatten sich auf halbem Wege zu der Palisade am Abhang in einer Gruppe zusammengesetzt. Einer hielt das Licht und ein anderer lag in ihrer Mitte auf den Knien, und in seiner Hand sah ich im Schein des Mondes und der Fackel die Klinge eines Messers in wechselnden Farben blinken. Die übrigen beugten sich vor, als wollten sie sein

Tun überwachen. Ich konnte gerade erkennen, daß er ein Messer und ein Buch in der Hand hielt, und wunderte mich noch darüber, wie etwas so wenig zu ihnen Passendes in ihren Besitz gekommen sei, als die kniende Gestalt sich wieder auf ihre Füße erhob und die ganze Gesellschaft auf das Haus zukam.

»Da kommen sie«, sagte ich und nahm meine vorige Stellung wieder ein.

»Na, dann laß sie kommen, Junge, laß sie kommen«, sagte Silver heiter. »Einen Schuß habe ich noch im Rohr.«

Die Tür öffnete sich, die fünf blieben zusammengedrängt im Eingang stehen und stießen einen von ihnen vorwärts. Unter anderen Umständen wäre es komisch gewesen, zu sehen, wie er langsam näher kam, wobei er bei jedem Schritt zögerte, dabei aber seine geschlossene rechte Hand ausstreckte.

»Komm näher, Junge«, rief Silver. »Ich freß dich nicht. Her damit, du Lümmel, ich kenne doch die Regeln und werd doch keiner Deputation etwas antun.«

So ermutigt, trat der Bukanier geschwind vor und huschte, nachdem er Silver etwas von Hand zu Hand übergeben hatte, noch schneller wieder zu seinen Kameraden zurück.

Der Schiffskoch blickte auf das, was man ihm gegeben hatte.

»Der Schwarze Fleck!« sagte er. »Dacht ich mir's doch! Wo habt ihr denn das Papier her? Ach! Hallo! Schau mal her! Das bringt kein Glück! Das habt ihr ja aus einer Bibel herausgeschnitten. Welcher Idiot hat denn eine Bibel zerschnitten?«

»Da habt ihr's«, rief Morgan. »Da habt ihr's. Was hab ich gesagt? Davon kommt nichts Gutes, hab ich gesagt.«

»Na, das habt ihr ja wohl miteinander ausgemacht«, fuhr Silver fort. »Ihr werdet noch alle baumeln, schätz ich. Welcher schwachköpfige Tölpel hatte denn eine Bibel bei sich?«

»Das war Dick«, sagte einer.

»Dick war es?« fuhr Silver fort. »Dann kann Dick ja anfangen zu beten. Er hat sein Teil Glück schon mitgekriegt, dieser Dick.«

Aber jetzt fiel ihm der lange Kerl mit den gelben Augen ins Wort.

»Mach Schluß mit diesen Reden, John Silver«, sagte er. »Diese Mannschaft hat dir nach einer ordentlichen Beratung den Schwarzen Fleck übergeben, wie's sich gehört. Jetzt drehst du ihn um, wie's sich gehört, und siehst, was drauf geschrieben steht. Dann kannst du reden.«

»Dank dir, George«, erwiderte der Schiffskoch. »Du bist immer fix beim Geschäft gewesen und hast die Regeln im Kopf. Also, was ist es denn eigentlich? Aha! ›Abgesetzt!‹ Das ist es also. Sehr schön geschrieben, allerdings, wie gedruckt, das schwör ich. Deine Handschrift, George? Na, du warst ja ein Anführer in dieser Mannschaft. Demnächst wirst du noch Kapitän, das sollte mich nicht wundern. Sei so gut und reiche mir noch einmal die Fackel, die Pfeife zieht nicht.«

»Komm jetzt«, erwiderte George, »du hältst diese Mannschaft nicht länger zum Narren. Du bist ein lustiger Kerl, auf unsere Rechnung, aber jetzt ist es aus mit dir, und vielleicht steigst du jetzt von dem Faß herunter und hilfst uns neu wählen.«

»Ich meinte, du sagst, daß du die Regeln kennst«, erwiderte Silver verächtlich. »Ich wenigstens kenne sie, wenn du sie nicht kennst, und ich warte hier – und noch bin ich euer Käpt'n, merk dir das –, bis ihr mit euren Beschwerden herausgekommen seid, und inzwischen erwidere ich, euer Schwarzer Fleck ist keinen Zwieback wert. Danach werden wir weitersehen.«

»Oh«, entgegnete George, »du hast gar keinen Grund, besorgt zu sein. *Wir* sind ganz ehrlich, *wir* sind's. Erstens: Du hast dieses ganze Unternehmen versaut; du wirst nicht kühn genug sein, das zu leugnen. Zweitens: Du hast den Feind für nichts aus dieser Falle herausgelassen. Warum wollten sie heraus? Ich weiß es nicht, aber das ist ganz klar, sie wollten heraus. Drittens: Du hast nicht erlaubt, sie auf dem Marsch anzugreifen. Oh, wir durchschauen dich, John Silver. Du spielst ein doppeltes Spiel, und das ist schlecht von dir. Und viertens das: Da ist der Junge dort.«

»Ist das alles?« fragte Silver ruhig.

»Gerade genug!« versetzte George. »Für deine Stümperei werden wir alle baumeln und in der Sonne dörren.«

»Also schön, so hört zu. Ich werde diese vier Punkte beantworten, einen nach dem anderen werde ich sie beantworten. Ich habe das Unternehmen versaut, ich? Gut, ihr alle wißt, was ich wollte, und ihr alle wißt, daß, wäre es so geschehen, wir alle diese Nacht an Bord der ›Hispaniola‹ säßen so wie immer, jeder einzelne von uns am Leben und heil und den Bauch voll von gutem Plumpudding, und der Schatz läge sicher im Laderaum, beim Donner! Ja, und wer hat quergeschossen? Wer hat mich, euren gesetzlichen Käpt'n, gezwungen, anders zu handeln? Wer hat mir an dem Tage, als wir an Land gingen, den Schwarzen Fleck übergeben und den Tanz begonnen? Ach ja, ein feiner Tanz ist das – da bin ich ganz eurer Meinung – und sieht mächtig nach einem Hornpipe* in einer Tauschlinge am Hinrichtungsdock in London aus, genauso. Aber wer hat's getan? Na, Anderson und Hands und du, George Merry! Und bist der letzte an Bord von dieser selben aufsässigen Bande, und du hast die teuflische Unverschämtheit, dich über mich als Käpt'n zu setzen, du, der du einen Haufen von uns ins Verderben gebracht hast. Weiß der Teufel, das schlägt dem Faß den Boden aus.«

Silver schwieg, und an den Gesichtern Georges und seiner Kameraden konnte ich sehen, daß er nicht vergebens gesprochen hatte.

»Das war Nummer eins!« schrie der Angeschuldigte und wischte sich den Schweiß von der Stirn, denn er hatte mit einer Heftigkeit gesprochen, die das Haus erschütterte. »Ach, ich geb euch mein Wort, ich hab es satt, mit euch zu reden!«

»Mach vorwärts, John«, sagte Morgan, »komm zu den anderen Punkten.«

»Ach ja, die anderen«, erwiderte John, »das ist eine feine Serie, was? Ihr sagt, das Unternehmen ist versaut. Ach, wenn ihr begreifen könntet, wie versaut es ist, dann würdet ihr staunen. Wir sind so nahe am Galgen, daß mir mein Hals steif wird, wenn ich dran denke. Und wenn ihr etwas von Nummer vier hören wollt, diesem Jungen dort? Ja, hol mich der Henker, ist das denn keine Geisel? Sollen wir eine Geisel vertun? Nein, wir nicht; er ist vielleicht unsere letzte Chance. Wundern sollte es mich nicht. Den Jungen umbringen? Ich nicht, Kameraden! Und Nummer drei? Ja, gut, zu Nummer drei ist allerlei zu sagen. Vielleicht bedeutet es euch nichts, daß ein richtiger Doktor von der Universität jeden

---

* Matrosentanz (Anmerkung des Übersetzers).

Tag kommt, nach euch zu sehen: nach dir, John, mit deinem gebrochenen Schädel, oder nach dir, George Merry, den noch vor sechs Stunden das Fieber geschüttelt hat und der noch in diesem Moment Augen hat so gelb wie Zitronenschalen. Und vielleicht wißt ihr auch nicht, daß ein Hilfsschiff unterwegs ist? Aber es ist so, und es wird nicht mehr lange dauern und wir werden sehen, wer sich freuen wird, eine Geisel zu haben, wenn es soweit ist. Und was Nummer zwei betrifft, warum ich das Abkommen getroffen habe – na, auf den Knien seid ihr ja zu mir gekommen, daß ich es abschließen möchte – so ist euch das Herz in die Hosen gerutscht – und verhungert wärt ihr, hätt ich's nicht getan. Aber das ist ja eine Kleinigkeit, da, schaut her: dafür hab ich's getan.«

Und er warf ein Stück Papier auf den Boden, das ich sofort erkannte. Nichts anderes war es als die Karte auf gelbem Papier mit den drei roten Kreuzen, die ich in dem Wachstuchpäckchen unten in der Kiste des Kapitäns gefunden hatte. Warum der Doktor sie ihm gegeben hatte, war mehr, als ich begreifen konnte.

Aber wenn ich es auch nicht verstand, so war das Auftauchen der Karte den überlebenden Meuterern völlig unglaublich. Wie Katzen auf eine Maus sprangen sie darauf zu. Sie ging von Hand zu Hand, einer riß sie dem anderen weg, und nach dem Fluchen und Schreien und kindischen Lachen, mit dem sie ihre Untersuchungen begleiteten, hätte man annehmen mögen, nicht nur das Gold befände sich schon in ihren Händen, sondern sie selbst wären auch schon damit in Sicherheit auf hoher See.

»Ja«, sagte einer, »das ist Flint, auf jeden Fall. J. F. und ein Strich darunter mit einem Schnörkel dran, so hat er immer unterschrieben.«

»Sehr schön«, sagte George, »aber wie sollen wir ohne Schiff damit wegkommen?«

Plötzlich sprang Silver auf und stützte sich mit einer Hand gegen die Wand.

»Jetzt warne ich dich, George«, rief er. »Noch so ein unverschämtes Wort, und ich fordere dich zum Duell. Wie? Wie soll ich das denn wissen? Du solltest mir das sagen, du und die anderen, die meinen Schoner verloren haben mit eurem Dreinreden! Der Teufel soll euch holen! Aber ihr, ihr könnt's ja nicht! Ihr habt ja soviel Verstand wie die Kakerlaken. Aber höflich kannst du reden, George Merry, und das wirst du tun, darauf kannst du dich verlassen.«

»Das ist völlig richtig«, sagte der alte Morgan.

»Richtig! So schätz ich«, erwiderte der Schiffskoch. »Ihr habt das Schiff verloren, und ich habe den Schatz gefunden. Wer ist nun der bessere Mann? Und jetzt danke ich ab, beim Donner. Wählt zum Käpt'n, wen ihr wollt, ich hab die Nase voll!«

»Silver!« schrien sie. »Hoch Smutje! Smutje bleibt Käpt'n!«

»Aha, daher bläst der Wind!« rief der Koch. »George, mein Lieber, da wirst du wohl eine andere Gelegenheit abwarten müssen, schätz ich. Und Glück hast du, daß ich nicht rachsüchtig bin. Aber das ist nie meine Art gewesen. Und jetzt Kameraden, dieser Schwarze Fleck? Viel taugt er nicht mehr, nicht wahr? Dick hat sein Glück verscherzt und seine Bibel verdorben, das ist alles.«

»Hilft das, wenn ich das Buch an der Stelle küsse?« fragte Dick knurrend.

»Eine Bibel, aus der ein Stück rausgeschnitten ist?« erwiderte Silver verächtlich. »Nein, die ist nicht mehr wert als ein Märchenbuch.«

»Tatsächlich?« rief Dick in fast freudigem Ton. »Na, das ist, glaub ich, auch was wert.«

»Hier, Jim, da ist ein Andenken für dich«, sagte Silver und warf mir das Papier zu.

Es war ein rundes Stück von der Größe eines Kronenstücks. Eine Seite war leer, denn es war das letzte Blatt gewesen, und auf der anderen standen ein paar Zeilen aus der Offenbarung Johannis, unter anderem die Worte »draußen sind die Hunde und die Totschläger«, die einen tiefen Eindruck auf mich machten. Die bedruckte Seite war mit Holzkohle geschwärzt, die wieder abfärbte und mir die Finger beschmutzte. Auf der leeren Seite stand nur das eine Wort »Abgesetzt!«

Das war das Ende der nächtlichen Verhandlung. Bald darauf, nach einem Umtrunk, lagen wir im Schlaf, und äußerlich rächte sich Silver dadurch, daß er George Merry als Wache aufstellte und ihm den Tod androhte, wenn er sich als unzuverlässig erweisen sollte.

Ich oder vielmehr wir alle – denn ich konnte sogar sehen, wie die Wache an dem Türpfosten, gegen den sie gesunken war, aufgeschreckt wurde — erwachten von einer klaren kräftigen Stimme.

»Blockhaus ahoi!« rief sie. »Hier ist der Doktor!«

Und es war tatsächlich der Arzt. Obgleich ich froh war, den Klang zu hören, war meine Freude doch nicht ungetrübt. Verwirrt dachte ich an meinen Ungehorsam und mein unaufrichtiges Betragen, und als mir einfiel, wohin mich das gebracht hatte, da schämte ich mich, ihm ins Gesicht zu sehen. Er mußte bereits im Dunkeln aufgestanden sein, denn der Tag hatte kaum begonnen.

»Ihr, Doktor! Einen recht guten Morgen wünsche ich Euch, Sir«, rief Silver hellwach und in strahlend guter Laune. »Frisch und zeitig in der Tat. Morgenstund hat Gold im Mund, wie man so sagt. George, sammel deine Knochen zusammen, und hilf Dr. Livesey über die Reling. Alle wohlauf, Eure Patienten – alle wohl und munter.«

So plapperte er drauflos, während er auf der Anhöhe stand, die Krücke unter dem Arm und eine Hand gegen die Wand des Blockhauses gestemmt — ganz der alte John in Stimme, Manier und Haltung.

»Wir haben auch eine große Überraschung für Euch, Sir«, fuhr er fort. »Wir haben einen kleinen Gast hier – ihn, ihn. Einen neuen Kostgänger und Logiergast, Sir, tipptopp sieht er aus, und kreuzfidel ist er auch. Geschlafen hat er wie ein Klotz, wirklich, längsseits vom alten John — Steven an Steven haben wir gelegen die ganze Nacht.«

Inzwischen war Dr. Livesey über die Palisade geklettert und ziemlich nahe an den Koch herangekommen. Ich konnte die Veränderung in seiner Stimme hören, als er sagte: »Doch nicht etwa Jim?«

»Genau derselbe Jim, wie er immer war«, erwiderte Silver.

Ohne ein Wort zu sagen, blieb der Arzt wie angewurzelt stehen, und wie es schien, dauerte es einige Sekunden, ehe er sich wieder rühren konnte.

»Gut, gut«, sagte er schließlich, »erst die Arbeit und dann das

Vergnügen, wie Ihr selbst sagen würdet, Silver. Laßt einmal Eure Patienten sehen.«

Einen Augenblick später hatte er das Blockhaus betreten und begann nach einem grimmigen Nicken zu mir mit seiner Krankenuntersuchung. Er schien keine Angst zu haben, obgleich er wissen mußte, daß unter diesen verräterischen Teufeln sein Leben an einem Haar hing.

»Ihr habt Glück gehabt, mein Lieber«, sagte er zu dem Mann mit dem verbundenen Kopf. »Wenn einer um Haaresbreite davongekommen ist, dann seid Ihr es. Euer Schädel muß hart wie Eisen sein. Na, und wie geht es Euch, George? Ihr habt ja eine feine Farbe. Eure Leber ist ja völlig durcheinander. Habt Ihr die Medizin genommen? Hat er die Medizin genommen, Männer?«

»Ay, ay, Sir, das hat er, ganz gewiß!« erwiderte Morgan.

»Ihr müßt wissen«, erwiderte Dr. Livesey in freundlichstem Ton, »seit ich Meutererarzt oder, wie ich lieber sagen möchte, Gefängnisarzt bin, setze ich meine Ehre darein, keinen Mann für König Georg – Gott segne ihn! – und für den Galgen zu verlieren.«

Stumm blickten die Schurken sich an, schluckten die Pille aber, ohne ein Wort zu sagen.

»Dick fühlt sich nicht wohl«, sagte einer.

»Wirklich nicht?« fragte der Arzt. »Also kommt mal her, Dick, und zeigt mir Eure Zunge. Na, das wundert mich nicht. Mit der Zunge kann er ja die Franzosen verscheuchen. Noch ein Fieberkranker.«

»Aha, da haben wir's«, sagte Morgan. »Das kömmt vom Bibelverderben.«

»Das kömmt – wie ihr sagt – daher, weil ihr heillose Esel seid«, fuhr ihn der Arzt an, »und nicht so viel Verstand habt, daß ihr frische Luft von vergifteter unterscheiden könnt und trockene Erde von einem verpesteten Sumpf. Ich denke, wahrscheinlich werdet ihr noch alle tüchtig draufzahlen, ehe ihr diese Malaria aus den Knochen habt. In einem Morast würdet ihr lagern? – Silver, ich wundere mich über Euch. Alles in allem habt Ihr weniger von einem Narren als viele andere, aber mir scheint, Ihr habt nicht die leiseste Ahnung von den Regeln der Hygiene.«

»So«, sagte er, nachdem er allen reihum ihre Arznei gegeben hatte und sie seine Anordnungen mit wirklich lächerlicher Unterwürfigkeit entgegengenommen hatten, »so, das wäre für heute erledigt. Und jetzt möchte ich mit dem Jungen dort sprechen.« Dabei nickte er leicht zu mir herüber.

George Merry stand an der Tür und schluckte gerade spuckend und prustend seine schlechtschmeckende Medizin. Aber bei den Worten des Arztes fuhr er mit hochrotem Kopf herum und schrie mit einem Fluch: »Ausgeschlossen!«

Silver schlug mit der flachen Hand auf das Faß.

»Ruhe!« brüllte er und blickte wie ein Löwe um sich. »Doktor«, fuhr er dann in seinem gewöhnlichen Ton fort. »Ich habe schon daran gedacht, weil ich weiß, daß Ihr eine Schwäche für den Jungen habt. Wir alle sind Euch untertänigst dankbar für Eure Freundlichkeit. Wie Ihr seht, setzen wir volles Vertrauen in Euch und schlucken die Medizin wie ebensoviel Grog. Und ich glaube, ich habe einen Weg gefunden, der allen gerecht wird. – Hawkins, willst du mir dein Ehrenwort geben wie ein kleiner Gentleman, nicht auszukneifen?«

Bereitwillig gab ich das gewünschte Versprechen.

»Dann steigt mal eben über die Palisade, Doktor«, sagte Silver, »und wenn Ihr drüben seid, bring ich Euch den Jungen hinunter an die Innenseite, und Ihr könnt mit ihm durch die Ritzen reden, schätz ich. Guten Morgen, Sir, und unser aller pflichtschuldigste Empfehlung an den Squire und an Käpt'n Smollett.«

Die Entrüstung, die nur Silvers finstere Blicke zurückgehalten hatte, machte sich sofort Luft, nachdem der Arzt das Haus verlassen hatte. Silver wurde rundum beschuldigt, doppeltes Spiel zu spielen – für sich selbst einen Separatfrieden anzustreben, die Interessen seiner Spießgesellen und Opfer zu verraten, kurz gesagt, genau dessen, was er wirklich tat. In diesem Falle schien es mir so offensichtlich, daß ich mir nicht denken konnte, wie er ihren Zorn abwenden würde. Aber er war den anderen doppelt überlegen, und sein Sieg in der letzten Nacht hatte ihm ein großes Übergewicht über sie verschafft. Er nannte sie alle solche Narren und Dummköpfe, wie man sie sich nicht vorstellen könne, behauptete, es sei notwendig, daß ich mit dem Arzt rede, schwenkte ihnen die Karte vor der Nase herum und fragte sie, ob sie es auf sich nehmen wollten, den Vertrag gerade an dem Tage zu brechen, an dem sie ausziehen wollten, den Schatz zu suchen.

»Nein, weiß der Teufel«, schrie er, »wir müssen den Vertrag brechen, wenn es an der Zeit ist, und bis dahin will ich den Doktor an der Nase herumführen, und wenn ich seine Stiefel mit Schnaps einreiben muß!«

Und dann hieß er sie das Feuer anzünden und stelzte auf seiner Krücke hinaus, eine Hand auf meiner Schulter. Und die anderen, weniger überzeugt, als von seiner Zungenfertigkeit zum Schweigen gebracht, blieben verwirrt zurück.

»Langsam, Junge, langsam«, sagte er. »Im Augenblick können sie über uns herfallen, wenn sie sehen, daß es uns so eilt.«

In aller Ruhe gingen wir also durch den Sand hinunter zu der Stelle, wo der Arzt uns jenseits der Palisade erwartete, und sobald wir so nahe herangekommen waren, daß wir bequem miteinander reden konnten, blieb Silver stehen.

»Ihr werdet das alles hier zur Notiz nehmen, und der Junge wird Euch erzählen, wie ich ihm das Leben gerettet habe und dafür auch abgesetzt wurde, darauf könnt Ihr Euch verlassen. Doktor, wenn ein Mann so hart am Winde steuert wie ich und so um den letzten Atemzug, den er im Leibe hat, Kopf oder Adler spielt, würdet Ihr es dann für zuviel halten, ihm ein gutes Wort zu gönnen? Bedenkt bitte, daß es jetzt nicht nur um *mein* Leben geht – das des Jungen ist mit im Spiel. Und Ihr werdet ein gutes Wort für mich haben und mir ein bißchen Hoffnung geben um der Barmherzigkeit willen.«

Seit er im Freien war und seinen Freunden und dem Blockhaus den Rücken gekehrt hatte, war Silver wie verwandelt. Seine Wangen schienen eingefallen, seine Stimme zitterte.

»Nanu, John, Ihr habt doch keine Angst?« fragte Dr. Livesey.

»Ich bin kein Feigling, Doktor, nein, nicht so viel«, sagte er und schnippte mit dem Finger. »Aber ich will Euch ehrlich bekennen, mich schaudert vor dem Galgen. Ihr seid ein guter und ein ehrlicher Mann. Nie habe ich einen besseren gesehen. Und Ihr werdet nicht vergessen, was ich Gutes getan habe, genausowenig wie Ihr das Schlechte vergeßt, das weiß ich. Jetzt trete ich beiseite

– seht – und laß Euch mit Jim allein. Und auch das werdet Ihr mir anrechnen, denn das ist ein dolles Ding, was ich da tue.«

Mit diesen Worten ging er eine kleine Strecke zurück, bis er außer Hörweite war. Dort setzte er sich auf einen Baumstumpf und begann zu pfeifen. Dabei drehte er sich hin und wieder auf seinem Sitz herum, um einmal mich und den Arzt und ein andermal seine widerspenstigen Halunken im Auge zu behalten, die zwischen dem Feuer, das sie eifrig schürten, und dem Hause, aus dem sie Schweinefleisch und Brot für das Frühstück herausschleppten, im Sande hin und her gingen.

»So, Jim«, sagte der Arzt traurig, »da bist du also. Was du dir eingebrockt hast, das mußt du nun auslöffeln, mein Junge. Weiß der Himmel, ich kann es nicht übers Herz bringen, dich zu schelten, aber soviel will ich dir sagen, ob es nun freundlich klingt oder nicht: wäre Kapitän Smollett gesund gewesen, hättest du nicht wagen können wegzugehen, und da er krank war und es nicht verhindern konnte, war es, weiß der Himmel, ausgesprochen feige gehandelt.«

Ich gebe zu, daß ich hier anfing zu weinen. »Herr Doktor«, sagte ich, »verschont mich bitte. Ich habe mir selbst genug Vorwürfe gemacht. Mein Leben ist ohnehin vertan, und ich wäre jetzt schon tot, wäre Silver nicht für mich eingetreten, und Doktor, glaubt mir, ich kann sterben – und ich muß sagen, ich habe es verdient –, aber was ich fürchte, ist das Foltern. Wenn sie mich foltern –«

»Jim«, unterbrach mich der Arzt mit völlig veränderter Stimme, »Jim, das kann ich nicht zulassen. Spring rüber, und wir laufen davon.«

»Doktor«, sagte ich, »ich habe mein Wort gegeben.«

»Ich weiß, ich weiß«, rief er. »Dafür können wir jetzt nichts. Jim, ich nehme das auf mich, Hals über Kopf, Schimpf und Schande, aber hierlassen kann ich dich nicht. Spring! Ein Satz und du bist draußen, und wir laufen davon wie die Antilopen.«

»Nein«, entgegnete ich. »Ihr wißt sehr wohl, Ihr würdet es selbst nicht tun, weder Ihr noch der Squire oder der Kapitän. Und ich tue es auch nicht. Silver vertraut mir, ich habe mein Wort gegeben und gehe zurück. Aber, Herr Doktor, Ihr habt mich nicht zu Ende reden lassen. Wenn sie kommen und mich foltern, dann könnte mir ein Wort entschlüpfen, wo das Schiff liegt. Denn ich habe das Schiff genommen, teils durch Glück, teils, weil ich es gewagt habe, und es liegt in der Nordeinfahrt am südlichen Ende und gerade unter Hochwasser. Bei halber Ebbe muß es hoch und trocken liegen.«

»Das Schiff?« rief der Arzt.

In aller Eile schilderte ich ihm meine Abenteuer, und schweigend hörte er zu.

»Das ist wie eine Schicksalsfügung«, meinte er, nachdem ich geendet hatte. »Auf Schritt und Tritt bist du es, der uns das Leben rettet. Kannst du irgendwie annehmen, wir würden zulassen, daß du deins verlierst? Das wäre ein übler Dank, mein Junge. Du hast die Verschwörung entdeckt, du hast Ben Gunn gefunden, das Beste, was du je getan hast oder noch tun wirst, und wenn du neunzig Jahre alt wirst. Ah, beim Jupiter, da wir gerade von Ben Gunn sprechen, na, das ist das Unheil in Person. Silver!« rief er. »Silver, ich will Euch einen guten Rat geben«, fuhr er fort, als der Koch wieder näher kam. »Beeilt Euch nur nicht zu sehr mit der Schatzsuche.«

»Nun, Sir«, erwiderte der, »ich tue mein Möglichstes, aber das geht nicht. Ich kann, mit Verlaub, mein Leben und das des Jungen nur retten, wenn ich den Schatz suche. Darauf könnt Ihr Euch verlassen.«

»Also, Silver«, entgegnete der Arzt, »wenn das so ist, so will ich noch einen Schritt weitergehen. Macht Euch auf Böen gefaßt, wenn Ihr ihn findet.«

»Sir«, sagte er, »von Mann zu Mann, das ist zuviel und zuwenig gesagt. Was Ihr vorhabt, warum Ihr das Blockhaus verlassen habt, warum Ihr mir die Karte gegeben habt, weiß ich nicht, nein wahrhaftig. Und doch habe ich getan, was Ihr verlangt habt, blindlings und ohne ein Wort der Hoffnung. Aber das hier ist zuviel. Wenn Ihr mir nicht deutlich sagt, was Ihr meint, so laß ich das Ruder los.«

»Nein«, sagte der Arzt nachdenklich, »mehr zu sagen, habe ich kein Recht. Seht, Silver, das ist nicht mein Geheimnis. Sonst würde ich es Euch sagen. Aber ich will so weit gehen, wie ich es wagen darf, und noch einen Schritt weiter. Der Kapitän wird mir die Perücke zurechtrücken, oder ich müßte mich sehr irren. Und zuerst will ich Euch eine Hoffnung geben, Silver. Wenn wir beide lebend aus dieser Wolfsfalle herauskommen, will ich mein Bestes tun, Euch zu retten, und koste es einen Meineid.«

Silver strahlte. »Etwas Besseres hättet Ihr mir nicht sagen können, in der Tat, Sir, selbst wenn Ihr meine eigene Mutter wäret«, rief er.

»Schön, das ist mein erstes Zugeständnis. Mein zweites ist ein guter Rat. Haltet den Jungen dicht bei Euch, und wenn Ihr Hilfe braucht, dann ruft. Ich gehe jetzt, sie für Euch zu holen, und das wird Euch zeigen, ob ich leere Worte mache. Leb wohl, Jim.«

Und Dr. Livesey reichte mir durch die Palisade die Hand, nickte Silver zu und ging eiligen Schrittes in den Wald.

Die Schatzsuche — Flints Wegweiser

»Jim«, sagte Silver, als wir allein waren, »ich habe dir dein Leben gerettet und du mir das meine, und das werde ich dir nie vergessen. Ich habe gesehen, wie dir der Doktor gewinkt hat, wegzulaufen, aus den Augenwinkeln hab ich es gesehen und ich habe gesehen, wie du nein gesagt hast, genauso als hätte ich es gehört. Jim, das spricht für dich. Das ist der erste Hoffnungsschimmer, den ich habe, seitdem der Angriff mißglückt ist, und dir danke ich ihn. Und jetzt, Jim, müssen wir diesen Schatz suchen, noch dazu mit versiegelter Order, und du und ich müssen dicht zusammenbleiben.«

In demselben Augenblick rief uns ein Mann vom Feuer her zu, das Frühstück sei fertig, und bald saßen wir hier und dort im Sande bei Zwieback und gebratenem Pökelfleisch. Sie hatten ein Feuer angezündet, an dem man einen Ochsen hätte rösten können. Mit derselben Verschwendung hatten sie, wie mir schien, dreimal mehr zubereitet, als wir essen konnten, und mit einem blöden Lachen warf einer von ihnen das Übriggebliebene ins Feuer, das von diesem ungewöhnlichen Brennstoff aufs neue auf-

loderte und prasselte. Nie in meinem Leben habe ich Männer gesehen, die sich so wenig um den kommenden Tag sorgten.

Selbst Silver, der mit Käpt'n Flint auf der Schulter tüchtig ein-
hieb, hatte kein Wort des Tadels für ihre Unbekümmertheit. Und
das überraschte mich um so mehr, als er sich, wie mir schien, nie
so verschlagen gezeigt hatte wie jetzt.

»Ja, Kameraden«, sagte er, »es ist ein Glück, daß ihr Smutje
habt, der mit diesem Kopf hier für euch denkt. Ich habe bekommen, was ich wollte. Allerdings haben sie das Schiff. Wo sie es
haben, weiß ich indes noch nicht. Aber wenn wir erst den Schatz
haben, werden wir uns auf die Beine machen und es aufstöbern.
Und da wir die Boote haben, Kameraden, haben wir die Oberhand, schätz ich.«

Und so redete er weiter, den Mund voll von heißem Speck, und
richtete ihre Hoffnung und ihr Vertrauen, und wie ich stark arg-
wöhnte, gleichzeitig auch sein eigenes wieder auf.

»Und was unsere Geisel angeht«, fuhr er fort, »das war sein
letztes Gespräch mit denen, die er so sehr liebt. Ich habe meine
Neuigkeiten erfahren und danke ihm dafür. Aber das ist jetzt
erledigt und vorbei. Ich werde ihn an eine Leine nehmen, wenn
wir auf Schatzsuche gehen. Dann ist er Gold wert für uns, falls
uns etwas unterwegs passiert und inzwischen, versteht ihr? Haben wir einmal das Schiff und den Schatz und sind auf hoher See
als fidele Gesellschaft, dann reden wir noch einmal über Mr. Hawkins, auf jeden Fall, und dann geben wir ihm seinen Anteil für all
seine Freundlichkeit.«

Kein Wunder, daß die Männer jetzt guter Laune waren. Ich
war schrecklich niedergeschlagen. Sollte der Plan, den er jetzt ent-
warf, sich als möglich erweisen, so würde Silver, schon ein dop-
pelter Verräter, nicht zögern, ihn auszuführen. Noch hatte er
einen Fuß in jedem Lager, und zweifellos würde er Reichtum und
Freiheit bei den Seeräubern einem bloßen Entkommen vom Galgen vorziehen, denn das war das Beste, was er auf unserer Seite
zu erhoffen hatte.

Ja, und selbst, wenn die Sache so lief, daß er Dr. Livesey die
Treue halten mußte, welche Gefahren lagen dann vor uns. Welch
ein Augenblick würde das sein, wenn der Argwohn seiner Kum-

pane sich in Gewißheit verwandelte und er und ich um unser liebes Leben kämpfen mußten – er, ein Krüppel, und ich, ein Junge – gegen fünf starke, beherzte Matrosen?

Nahm man zu dieser doppelten Besorgnis noch das Geheimnis, das über dem Verhalten meiner Freunde hing, ihren unerklärlichen Auszug aus dem Blockhaus und ihre unbegreifliche Auslieferung der Karte oder, was noch schwerer zu verstehen war, des Arztes letzte Warnung an Silver: »Macht Euch auf Böen gefaßt, wenn Ihr ihn findet«, so wird man gern glauben, wie wenig mir mein Frühstück schmeckte und wie schweren Herzens ich hinter meinen Gefangenenaufsehern zur Schatzsuche auszog.

Wir boten ein seltsames Bild, hätte uns einer sehen können: alle in schmutzigen Seemannskleidern und außer mir alle bis an die Zähne bewaffnet. Silver hatte sich zwei Gewehre umgehängt – eins vorn und eins hinten –, außerdem ein Entermesser umgegürtet und in jede Tasche seines langschößigen Rockes eine Pistole gesteckt. Um seinen merkwürdigen Aufzug zu vervollständigen, saß Käpt'n Flint auf seiner Schulter und plapperte Bruchstücke sinnloser Matrosenredensarten. Ich hatte eine Leine um den Leib gebunden und folgte gehorsam dem Schiffskoch, der das lose Ende des Strickes bald in der freien Hand, bald zwischen seinen starken Zähnen festhielt. So wurde ich tatsächlich wie ein Tanzbär mitgeführt.

Die übrigen Matrosen waren verschieden bepackt. Einige trugen Spitzhacken und Schaufeln, denn das war das Erste und Notwendigste, was sie von der »Hispaniola« an Land gebracht hatten. Andere trugen Schweinefleisch, Brot und Branntwein für das Mittagessen.

Nun, so ausgerüstet zogen wir alle aus – sogar der Bursche mit dem Schädelbruch, der sicherlich im Schatten hätte bleiben müssen – und wanderten einer hinter dem anderen zum Strande, wo uns die beiden Boote erwarteten. Aus Sicherheitsgründen mußten wir beide mitnehmen, und auf die beiden Boote verteilt, machten wir uns über den Ankerplatz auf den Weg.

Während wir hinüberruderten, entstand ein Wortwechsel wegen der Karte. Das rote Kreuz war natürlich viel zu groß, um als Wegweiser zu dienen, und die Ausdrücke in der Anmerkung auf der Rückseite ließen, wie man sehen wird, eine zweideutige Auslegung zu. Sie lautete, wie sich der Leser entsinnen wird:

»Hoher Baum, Fernrohrabhang, weist auf einen Punkt Nordnordost zu Nord.

Skelettinsel Ostsüdost und bei Ost.

Zehn Fuß.«

Ein hoher Baum war also das Hauptmerkmal. Nun war rechts von uns der Ankerplatz von einem zwei- oder dreihundert Fuß hohen Plateau begrenzt, das sich im Norden an den seitwärts abfallenden Hang des Fernrohrs lehnte und selbst nach Süden zu der rauhen, schroffen, Besanmastberg genannten Erhebung anstieg. Auf der Höhe des Plateaus wuchs ein dichter Fichtenbestand unterschiedlicher Größe. Überall erhob sich hier und dort eine Fichte besonderer Art vierzig oder fünfzig Fuß hoch über ihre Nachbarn hinaus, aber welche von diesen gerade Kapitän Flints »hoher Baum« war, ließ sich nur an Ort und Stelle und mit Hilfe des Kompasses ermitteln.

Aber trotzdem hatte jeder an Bord der Boote für sich einen Baum ausgesucht, ehe wir die Hälfte des Weges zurückgelegt hatten, und nur der lange John zuckte die Schultern und befahl ihnen zu warten, bis sie dort wären.

Auf Silvers Anordnung ruderten wir langsam, um uns nicht vorzeitig zu ermüden, und landeten nach einer langen Fahrt an der Mündung des zweiten Flusses, der durch eine waldige Schlucht vom Fernrohr herunterkommt. Von dort aus wandten wir uns nach links und begannen den Abhang zu dem Plateau hinaufzusteigen.

Anfangs waren wir durch den schweren, moorigen Boden und eine Vegetation von Binsen und Sumpfpflanzen in unserem Vorwärtskommen sehr behindert. Aber nach und nach wurde der Berg steiler und der Boden steiniger. Der Wald änderte seinen Charakter und hatte einen lichteren Baumbestand.

Schreiend und hin und her springend zerstreute sich die Gesellschaft fächerförmig nach den Seiten hin. In der Mitte und ein gutes Stück hinter den anderen folgten Silver und ich, ich durch das Seil an ihn gefesselt, er schwer keuchend durch die losen Kieselsteine watend. Von Zeit zu Zeit mußte ich ihm sogar die Hand reichen, sonst wäre er fehlgetreten und rücklings den Hang hinuntergestürzt.

So waren wir etwa eine halbe Meile weit gekommen und näherten uns dem Rande des Plateaus, als der Mann auf dem äußersten linken Flügel wie erschreckt laut zu schreien anfing. Einen Schrei nach dem anderen stieß er aus, und die anderen begannen zu ihm hinüberzulaufen.

»Den Schatz kann er doch nicht gefunden haben«, sagte der alte Morgan, der von rechts an uns vorüberlief, »der liegt doch oben auf der Höhe.«

Wirklich fanden wir, als wir dort ankamen, daß es sich um etwas völlig anderes handelte. Am Fuße einer ziemlich dicken Fichte und von grünen Schlingpflanzen überwuchert, die sogar einige kleinere Knochen emporgehoben hatten, lag in Kleiderresten ein menschliches Skelett auf dem Boden. Ich glaube, für einen Augenblick wurden wir alle von Schauder ergriffen.

»Das war ein Seemann«, sagte George Merry, der, kühner als die anderen, dicht herangetreten war und die Kleiderfetzen untersuchte. »Wenigstens ist das gutes Seemannstuch.«

»Allerdings«, sagte Silver, »höchstwahrscheinlich. Schätze, daß du wohl kaum erwarten kannst, hier einen Bischof zu finden. Aber was ist das für eine Art, wie die Knochen da liegen? Das ist doch nicht natürlich!«

Allerdings schien es beim zweiten Blick unmöglich, sich vorzustellen, daß der Körper sich in einer natürlichen Lage befand. Abgesehen von einiger Unordnung, die vielleicht durch die Vögel verursacht war, die sich von ihm genährt hatten, lag der Mann völlig ausgestreckt − seine Füße wiesen in eine Richtung, und seine Hände, wie die eines Tauchers über seinen Kopf erhoben, zeigten direkt nach der entgegengesetzten Seite.

»Da geht mir eine Idee durch meinen alten Gehirnkasten«, bemerkte Silver. »Hier ist der Kompaß. Dort ist die höchste Spitze der Skelettinsel, die wie ein Zahn herausragt. Jetzt nehmt doch mal eine Peilung an diesen Knochen entlang.«

Das geschah. Das Gerippe wies genau in die Richtung der Insel, und der Kompaß zeigte Ostsüdost und bei Ost.

»Dacht ich mir's doch!« rief der Koch. »Das ist ein Wegweiser. Dort gerade hinauf geht's zum Polarstern und zu den lustigen Talern. Aber beim Donner, es überläuft mich doch kalt, wenn ich an Flint denke. Das ist einer seiner Scherze, ohne Zweifel. Er und die sechs waren allein hier. Er hat sie umgebracht, jeden einzeln, und diesen einen hat er heraufgeholt und nach dem Kompaß hingelegt, hol mich der Teufel. Das sind lange Knochen, und das Haar war blond. Ja, das könnte Allardyce sein. Erinnerst du dich an Allardyce, Tom Morgan?«

»Ja, ja«, erwiderte Morgan, »an den erinnere ich mich. Er schuldete mir Geld und nahm mein Messer mit an Land.«

»Da wir gerade von Messern reden«, sagte ein anderer, »wie kommt es, daß wir seins hier nirgendwo finden? Flint war doch keiner, der einem Seemann die Taschen ausleerte, und die Vögel hätten es doch wohl liegenlassen, denk ich.«

»Zum Teufel, das stimmt«, rief Silver.

»Da ist nichts übriggeblieben«, sagte Merry, der immer noch zwischen den Knochen herumtastete, »kein Kupferpenny und keine Tabaksdose. Das kommt mir nicht natürlich vor.«

»Nein, beim Henker, das ist es nicht,« gab Silver zu. »Das ist nicht natürlich und nicht nett, wie du sagst. Aber wenn Flint noch am Leben wäre, Kameraden, dann wäre das **hier** ein heißer Fleck für euch und für mich. Sechs waren sie und sechs sind wir, und Knochen – das ist alles, was von ihnen übriggeblieben ist.«

»Aber ich hab ihn tot daliegen sehen mit diesen meinen Klüsen«, sagte Morgan. »Billy hat mich hergeführt. Da lag er und hatte Pennystücke auf den Augen.«

»Tot – ja, tot ist er allerdings und in der Hölle«, meinte der Bursche mit dem verbundenen Kopf. »Aber wenn ein Geist umginge, dann wäre es der von Flint. Mein lieber Mann, der hat ein schlimmes Ende genommen, dieser Flint.«

»Ja, das hat er«, bemerkte ein anderer. »Mal tobte er, mal brüllte er nach Rum, mal sang er. ›Fünfzehn Mann‹, das war das einzige Lied, das er sang, Kameraden, und ich will euch ehrlich sagen, seither hab ich es nicht mehr gern gehört. Es war fürchterlich heiß, und das Fenster stand offen, und ich höre das Lied so deutlich wie nur je – und der Tod war schon über ihm.«

»Komm, komm«, sagte Silver, »hör jetzt auf damit. Er ist tot und geht nicht um, das weiß ich, wenigstens nicht bei Tage, darauf könnt ihr euch verlassen. Sorgen bringen eine Katze um. Vorwärts zu den Dublonen.«

Die Schatzsuche — Die Stimme in den Bäumen

Teils unter dem dämpfenden Einfluß dieses Schreckens, teils aber auch, damit Silver und die Kranken sich ausruhen konnten, setzte sich die ganze Gesellschaft nieder, sobald die Höhe des Anstieges erreicht war.

Während Silver dasaß, nahm er einige Messungen mit dem Kompaß vor.

»Es gibt drei ›hohe Bäume‹ in der geraden Linie von der Skelettinsel her«, sagte er. »›Schulter des Fernrohrs‹, schätz ich, bedeutet den niedrigeren Punkt dort. Ein Kinderspiel, jetzt den Zaster zu finden. Halb und halb möcht ich meinen, wir essen erst mal.«

»Ich hab keinen Hunger«, knurrte Morgan, »wenn ich an Flint denke — und daß wir es hätten sein können —, das hat mir gereicht.«

»Schon gut, mein Sohn; jetzt kannst du deinen Sternen danken, daß er tot ist«, erwiderte Silver.

»Er war ein häßlicher Teufel«, rief ein dritter Pirat schaudernd, »und ganz blau im Gesicht.«

»Das kam vom Rum«, fuhr Merry fort. »Blau, ja blau war er, schätz ich. Das ist ein wahres Wort.«

Die ganze Zeit, seitdem sie das Skelett gefunden hatten und sich mit diesen Gedanken beschäftigten, hatten sie leiser und leiser gesprochen, und nun flüsterten sie fast nur noch, so daß die Laute der Unterhaltung die Stille des Waldes kaum unterbrachen. Plötzlich stimmte mitten aus den Bäumen vor uns eine dünne, hohe, zitternde Stimme die wohlbekannte Melodie und den Text an:

> »Fünfzehn Mann auf des toten Manns Kist,
> Johoo — und 'ne Buddel Rum!«

Nie habe ich Leute so zu Tode erschrocken gesehen wie diese Piraten. Wie durch Zauber wich die Farbe aus den sechs Gesichtern; einige sprangen auf, andere klammerten sich aneinander; Morgan kauerte sich zu Boden.

»Das ist Flint, weiß der –« schrie Merry.

Ebenso plötzlich, wie er begonnen hatte, hörte der Gesang wieder auf, abgebrochen mitten in der Note, wie man hätte sagen können, als hätte jemand dem Sänger eine Hand auf den Mund gelegt.

»Kommt«, sagte Silver und brachte die Worte nur mühsam über die aschfahlen Lippen. »So geht das nicht. Klar zum Wenden. Das ist ein verrückter Start, und ich kenne die Stimme nicht, aber da verulkt uns jemand, einer aus Fleisch und Blut, darauf könnt ihr euch verlassen.«

Während er so sprach, war sein Mut zurückgekehrt, und sein Gesicht hatte wieder etwas Farbe bekommen. Schon hatten die anderen angefangen, dieser Ermunterung Gehör zu schenken und sich wieder etwas zu fassen, als dieselbe Stimme aufs neue begann, diesmal nicht mit Singen, sondern mit einem schwachen, fernen Rufen, das noch schwächer von den Klippen des Fernrohrs widerhallte.

»Darby M'Graw«, klagte es – denn so war der Laut am treffendsten gekennzeichnet –, »Darby M'Graw! Darby M'Graw!« Immer wieder und wieder und dann noch etwas höher und mit einem Fluch, den ich nicht wiederholen will: »Geh und hol Rum, Darby!«

Wie angewurzelt blieben die Bukanier stehen, und die Augen quollen ihnen aus dem Kopf. Lange noch, nachdem die Rufe verklungen waren, starrten sie stumm und entsetzt vor sich hin.

»Jetzt ist es klar«, keuchte einer. »Laßt uns gehn.«

»Das waren seine letzten Worte«, stöhnte Morgan. »Seine letzten Worte in dieser Welt.«

Dick hatte seine Bibel herausgezogen und betete eifrig. Er hatte eine gute Kinderstube gehabt, ehe er zur See ging und in schlechte Gesellschaft geriet.

Nur Silver gab sich noch nicht geschlagen. Ich konnte seine Zähne klappern hören, aber er hatte noch nicht klein beigegeben.

»Niemand auf dieser Insel hat je etwas von Darby gehört«, murrte er, »niemand als wir hier.« Und dann rief er mit großer Anstrengung: »Kameraden, ich bin hier wegen des Zasters, und ich laß mich weder von Menschen noch vom Teufel verjagen. Vor dem lebendigen Flint hab ich mich nicht gefürchtet, und, weiß der Satan, dem toten werd ich auch noch standhalten. Da liegen siebenhunderttausend Pfund kaum eine Viertelmeile vor uns. Hat je ein Glücksritter so vielen Talern sein Heck zugedreht wegen eines versoffenen alten Seemanns mit einer blauen Visage — und eines toten dazu?«

Aber seine Gefolgschaft gab bei seinen unehrerbietigen Worten kein Zeichen von wiederkehrendem Mut von sich, sondern viel eher von wachsender Furcht.

»Halt an, John«, sagte Merry, »komm keinem Geist in die Quere.«

Die übrigen waren zu entsetzt, um zu antworten. Sie wären einzeln davongelaufen, hätten sie es nur gewagt. Aber die Angst hielt sie zusammen und bei John, als könnte sein Mut ihnen helfen. Er hatte seine Schwäche schon ziemlich überwunden.

»Geist? Na ja, kann sein«, sagte er. »Aber eins ist mir nicht ganz klar. Da war doch ein Echo. Nun hat doch noch niemand einen Geist mit einem Schatten gesehen. Was soll er denn mit einem Echo anfangen, möcht ich wissen. Das geht doch nicht natürlich zu.«

Dieses Argument schien mir ziemlich schwach. Aber man kann nie sagen, was auf Abergläubische Eindruck macht, und zu meinem Erstaunen war George Merry sehr erleichtert.

»Ja, das stimmt allerdings«, sagte er. »Du hast ein Köpfchen, John, zweifellos. Und wenn ich darüber nachdenke, so klang es wie Flints Stimme, das gebe ich zu, aber trotzdem doch nicht so freiweg. Es war mehr wie die Stimme von jemand anders — mehr wie —«

»Ben Gunn, beim Henker!« brüllte Silver.

»Ja, so war es«, schrie Morgan und hob sich auf die Knie. »Ben Gunn war es.«

»Aber das macht doch wenig aus«, meinte Dick. »Ben Gunn ist ebensowenig leibhaftig hier wie Flint.«

Aber die älteren Männer lachten verächtlich.

»Na, um Ben Gunn kümmert sich keiner«, rief Merry; »tot oder lebendig kümmert sich keiner um Ben Gunn!«

Es war ungewöhnlich, wie ihr Mut zurückgekehrt war und wie ihre Gesichter sich wieder natürlich färbten. Bald schwatzten sie miteinander und schwiegen nur hin und wieder, um zu horchen, und da sie keinen weiteren Laut hörten, schulterten sie bald danach ihre Werkzeuge und machten sich wieder auf den Weg. Merry ging mit Silvers Kompaß voran, um die richtige Linie mit der Skelettinsel einzuhalten. Er hatte die Wahrheit gesagt: Kein Mensch kümmerte sich um Ben Gunn, tot oder lebendig.

Dick allein hielt noch die Bibel in der Hand und warf ängstliche Blicke um sich. Aber er fand keine Gegenliebe, und Silver selbst machte sich über seine Vorsicht lustig.

»Hab ich dir's nicht gesagt – hab ich dir's nicht gesagt, daß du deine Bibel verdorben hast? Wenn sie nicht mehr gut genug ist, darauf zu schwören, was glaubst du, was ein Geist darauf gibt? Nicht so viel!« Und er blieb einen Augenblick auf seiner Krücke stehen und schnippte mit seinen großen Fingern.

Aber Dick ließ sich nicht trösten. Bald wurde mir klar, daß der Junge krank wurde. Durch die Hitze, die Erschöpfung und den Schreck beschleunigt, war das von Dr. Livesey vorausgesagte Fieber offensichtlich schnell gestiegen.

Hier auf der Höhe ging es sich schön und unbehindert. Unser Weg führte etwas abwärts, denn die Hochebene fiel, wie ich schon sagte, nach Westen hin leicht ab. Die Fichten, große und kleine, wuchsen in weiten Abständen, und selbst zwischen den Gruppen von Muskatnußbäumen und Azaleen lagen weite offene Strecken, die in der heißen Sonne schmorten.

Der erste der hohen Bäume war erreicht und erwies sich nach der Peilung als der falsche. Ebenso war es mit dem zweiten. Der dritte ragte in einer Höhe von etwa zweihundert Fuß aus dem Unterholz empor: ein Riese von einem Baum mit einem roten, säulenförmigen Stamm von der Breite einer Hütte und einem weiten Schatten ringsumher.

Aber es war nicht seine Größe, die meine Begleiter jetzt beeindruckte, sondern das Bewußtsein, daß in seinem breiten Schatten siebenhunderttausend Pfund in Gold vergraben lagen. Je näher sie kamen, desto mehr verdrängte der Gedanke an das Geld alle ihre vorigen Ängste. Ihre Augen brannten, ihre Schritte wurden schneller und leichter, mit ganzer Seele hingen sie an diesem Vermögen, diesem ganzen Leben voller Ausschweifungen und Vergnügungen, das auf jeden einzelnen wartete.

Ächzend humpelte Silver auf seiner Krücke voran. Bebend blähten sich seine Nüstern. Er fluchte wie ein Verrückter, wenn die Fliegen sich auf sein erhitztes, glänzendes Gesicht setzten. Wütend riß er an der Leine, die mich an ihn fesselte, und von Zeit zu Zeit wandte er sich mit einem wütenden Blick mir zu. Offenbar bemühte er sich nicht, seine Gedanken zu verbergen, und ich konnte sie wie gedruckt von seinen Mienen ablesen. In unmittelbarer Nähe des Goldes war alles übrige vergessen. Sein Versprechen und die Warnung des Arztes gehörten der Vergangenheit, und ich zweifelte nicht daran, daß er hoffte, den Schatz zu heben, über Nacht die »Hispaniola« zu finden und zu entern, jedem ehrlichen Menschen auf der Insel die Kehle durchzuschneiden und so, wie er es von Anfang an geplant hatte, mit Verbrechen und Reichtümern beladen davonzusegeln.

Von diesen Befürchtungen erfüllt, fiel es mir schwer, den schnellen Schritt der Schatzsucher einzuhalten. Immer wieder stolperte ich, und dann war es Silver, der roh an der Leine riß und mir seine mörderischen Blicke zuwarf. Dick, der hinter uns geblieben war und jetzt den Schluß bildete, murmelte Gebete und Flüche vor sich hin, während sein Fieber immer höher stieg.

Jetzt waren wir am Rande des Dickichts.

»Hurra, Kameraden, alle miteinander!« schrie Merry, und die vordersten begannen zu laufen.

Und plötzlich, kaum zehn Schritte weiter, sahen wir sie stehenbleiben. Ein unterdrückter Schrei erklang. Silver verdoppelte seine Schritte. Wie ein Besessener wühlte er mit dem Ende seiner Krücke den Boden auf, und im nächsten Augenblick blieben auch er und ich wie angewurzelt stehen.

Vor uns lag eine tiefe Grube. Sie war nicht erst vor kurzem ausgehoben worden, denn die Ränder waren schon eingestürzt, und auf dem Boden sproß Gras. Darin lagen verstreut der in zwei

Teile zerbrochene Schaft einer Spitzhacke und die Bretter einiger Kisten. Auf einem der Bretter sah ich den mit einem glühenden Eisen eingebrannten Namen von Flints Schiff »Walrus«.

Alles war sonnenklar. Das Versteck war entdeckt worden und geplündert. Die siebenhunderttausend Pfund waren weg!

Der Fall eines Anführers

Noch nie in der Welt hat es einen solchen Umsturz gegeben. Jeder der sechs Männer stand wie vom Blitz getroffen. Nur Silver verwand den Schlag fast augenblicklich. Mit vollen Segeln wie eine Rennjacht war jeder seiner Gedanken auf das Gold gerichtet gewesen, ja, und jetzt war er innerhalb einer einzigen Sekunde aus dem Rennen geworfen. Trotzdem behielt er den Kopf oben, fand seine Ruhe wieder und änderte seinen Plan, ehe die anderen Zeit fanden, sich ihrer Enttäuschung bewußt zu werden.

»Jim«, flüsterte er, »nimm das und paß auf, es gibt Sturm.« Damit reichte er mir eine doppelläufige Pistole.

Gleichzeitig ging er in aller Ruhe in nördlicher Richtung weiter und hatte mit wenigen Schritten das Loch zwischen uns beide und die übrigen fünf gebracht. Dann sah er mich an und nickte mir zu, als wollte er mir sagen: Das ist eine verflixte Klemme; und das war es nach meiner Meinung allerdings. Jetzt waren seine Blicke wieder ganz freundlich, und über diesen ständigen Wechsel war ich so empört, daß ich mir nicht verkneifen konnte zu flüstern: »So habt Ihr also wieder die Partei gewechselt.«

Er hatte keine Zeit zu antworten. Unter Flüchen und Schreien sprangen die Bukanier einer nach dem anderen in die Grube, warfen die Bretter beiseite und wühlten mit den Fingern in der Erde. Morgan fand ein Goldstück und hob es mit einer Sturzflut von Flüchen hoch. Es war ein Zweiguineenstück und ging wohl eine Viertelminute unter ihnen von Hand zu Hand.

»Zwei Guineen!« brüllte Merry und hielt es Silver entgegen. »Das sind deine siebenhunderttausend Pfund, was? Du bist der tüchtige Mann, was? Du hast noch nie was versaut!«

»Grabt nur weiter, Jungs«, sagte Silver mit der kältesten Unverschämtheit. »Vielleicht findet ihr noch ein paar Erdnüsse. Es sollte mich nicht wundern.«

»Erdnüsse!« kreischte Merry. »Habt ihr das gehört, Kameraden? Ich will euch etwas sagen, der Mann da hat das längst gewußt. Schaut ihm ins Gesicht, da könnt ihr's geschrieben lesen.«

»Ach, Merry«, bemerkte Silver, »du kandidierst wohl wieder als Käpt'n. Bist ein betriebsamer Bursche, zweifellos.«

Aber diesmal waren alle auf Merrys Seite. Sie begannen aus der Grube herauszuklettern und warfen wütende Blicke hinter sich. Eins bemerkte ich, das für uns günstig aussah. Sie stiegen alle an der Silver entgegengesetzten Seite heraus.

Da standen wir also, zwei auf der einen und fünf auf der anderen Seite, die Grube zwischen uns, und keiner schwang sich dazu auf, den ersten Schlag zu tun. Silver rührte sich nicht. Aufrecht auf seine Krücke gestützt, beobachtete er sie so kühl, wie ich ihn je gesehen habe. Tapfer war er, daran war nicht zu zweifeln.

Schließlich glaubte Merry offenbar mit Reden weiterzukommen.

»Kameraden«, sagte er, »da stehen die beiden allein, der alte Krüppel, der uns alle hierhergeführt und so ekelhaft in die Tinte gebracht hat, und dieser Lümmel, dem ich das Herz ausreißen werde. Los, Kameraden!«

Er hob den Arm und die Stimme, als wollte er einen Angriff anführen. Aber in demselben Augenblick – krach, krach, krach – blitzten drei Musketenschüsse aus dem Dickicht. Merry stürzte kopfüber in die Grube, und der Mann mit dem verbundenen Kopf drehte sich wie ein Kreisel und fiel der Länge nach auf die Seite, wo er, noch zuckend, tot liegenblieb. Die drei anderen machten kehrt und liefen davon, so schnell sie konnten.

Ehe man mit den Augen zwinkern konnte, hatte der lange John zwei Pistolenschüsse auf den sich noch windenden Merry abgefeuert und rief ihm zu, als er im letzten Todeskampf die Augen zu ihm aufschlug: »George, dir hab ich den Rest gegeben, schätz ich.«

Im gleichen Augenblick kamen der Arzt, Gray und Ben Gunn mit rauchenden Musketen aus dem Muskatnußdickicht heraus und traten zu uns.

»Vorwärts!« schrie der Arzt. »Schnell, schnell, Jungs, wir müssen ihnen die Boote abjagen.«

Und mit eiligen Schritten, bisweilen bis zur Brust in den Büschen, stürzten wir los.

Ich muß sagen, daß Silver bemüht war, mit uns Schritt zu halten. Die Anstrengungen, die dieser Mann aushielt, während er sich an seiner Krücke springend vorwärtsarbeitete, so daß seine Brustmuskeln fast rissen, hätte ihm kein Gesunder auch nur annähernd nachgemacht. Dieser Meinung war auch der Arzt. Trotzdem war er schon etwa dreißig Schritte hinter uns zurückgeblieben und fast am Ende seiner Kraft, als wir den Rand des Abhanges erreichten.

»Doktor!« rief er. »Seht dorthin! Keine Eile!«

Wirklich brauchten wir uns nun nicht mehr zu beeilen. Auf einer offenen Strecke des Plateaus konnten wir die drei Überlebenden immer noch in derselben Richtung laufen sehen, die sie eingeschlagen hatten, direkt auf den Besanmastberg zu. Wir waren bereits zwischen ihnen und den Booten. Und so setzten wir uns nieder, um zu verschnaufen, während der lange John, sich das Gesicht wischend, langsam näher kam.

»Dank Euch herzlich, Doktor«, sagte er. »Ihr kamt gerade zur rechten Zeit für mich und Hawkins, schätz ich. Ach, das bist du, Ben Gunn!« fuhr er fort. »Na, du bist mir der Richtige, das muß ich sagen.«

»Ja, ich bin Ben Gunn, allerdings«, erwiderte der Ausgesetzte und wand sich wie ein Aal vor Verlegenheit. »Und wie geht es Euch, Mr. Silver?« fuhr er nach einer langen Pause fort. »Ziemlich gut, danke schön, sagt Ihr.«

»Ben, Ben«, murmelte Silver, »wenn ich daran denke, wie du mir mitgespielt hast!«

Der Arzt schickte Gray zurück nach einer der Spitzhacken, die von den Meuterern bei ihrer Flucht zurückgelassen worden waren, und berichtete, während wir in aller Muße bergab zu den Booten gingen, mit kurzen Worten, was sich zugetragen hatte. Es war eine Geschichte, die Silver aufs höchste interessierte, und Ben Gunn, der halbirre Ausgesetzte, war der Held von Anfang bis zum Ende.

Ben hatte bei seinen langen, einsamen Wanderungen über die Insel das Skelett gefunden. Er war es gewesen, der es geplündert hatte. Er hatte auch den Schatz entdeckt. Er hatte ihn ausgegraben – es war der Stiel seiner Spitzhacke, der zerbrochen in der Grube lag. Auf langen mühseligen Wegen hatte er den Schatz vom Fuß der hohen Fichte auf dem Rücken zu einer Höhle getragen, die er auf dem zweigipfeligen Berg an der Nordostecke der Insel entdeckt hatte. Dort hatte er seit zwei Monaten vor der Ankunft der »Hispaniola« sicher verwahrt gelegen.

Nachdem der Arzt ihm am Nachmittag nach dem Angriff dieses Geheimnis entlockt hatte und am nächsten Morgen den Anker-platz verlassen fand, war er zu Silver gegangen und hatte ihm die Karte gegeben, die jetzt nutzlos war, und ihm die Vorräte über-lassen, da Gunns Höhle mit von ihm selbst eingesalzenem Zie-genfleisch reichlich versorgt war – hatte ihm dieses und alles ge-geben, um die Möglichkeit zu haben, sicher aus dem Blockhaus zu dem zweigipfeligen Berg zu kommen, um dort von der Malaria verschont zu sein und das Geld bewachen zu können.

»Was dich angeht, Jim«, sagte er, »so ging mir das gegen den Strich, aber ich habe das getan, was mir für die am besten schien, die zu ihrer Pflicht standen!«

Als er heute morgen erfuhr, daß auch ich in die schreckliche Enttäuschung, die er den Meuterern zugedacht hatte, verwickelt war, hatte er den ganzen Weg bis zur Höhle im Lauf zurück-gelegt. Dort hatte er den Squire zum Schutz des Kapitäns zurück-gelassen und war mit Gray und dem Ausgesetzten quer durch die Insel geeilt, um rechtzeitig bei der Fichte anzukommen. Bald hatte er allerdings eingesehen, daß unsere Gruppe vor ihm aufgebro-chen war, und so war Ben Gunn, der flink zu Fuß war, voraus-gesandt worden, um allein sein Bestes zu tun. Da war diesem der Einfall gekommen, sich den Aberglauben seiner früheren Kame-raden zunutze zu machen, und er hatte damit so viel Glück, daß Gray und der Arzt bereits zur Stelle waren und sich verborgen hatten, ehe die Schatzsucher anlangten.

»Ach«, sagte Silver, »welches Glück für mich, daß ich Hawkins bei mir hatte. Ihr hättet sicher den alten John in Stücke hauen lassen und Euch nichts dabei gedacht, Doktor.«

»Absolut nichts«, erwiderte Dr. Livesey freundlich.

Inzwischen waren wir bei den Booten angekommen. Der Arzt zerstörte das eine mit der Spitzhacke, und dann gingen wir alle an Bord des anderen und fuhren los, um auf dem Seeweg die Nordeinfahrt zu erreichen.

Das war eine Strecke von acht oder neun Meilen. Obgleich Silver vor Müdigkeit fast umkam, wurde er wie wir anderen an einen Riemen gesetzt, und bald flogen wir über die glatte See dahin. Kurz darauf passierten wir die Ausfahrt und rundeten die Südostspitze, um die wir vier Tage zuvor die »Hispaniola« geschleppt hatten.

Als wir an dem zweigipfeligen Berg vorüberfuhren, konnten wir die schwarze Mündung von Ben Gunns Höhle und eine Gestalt erkennen, die, auf eine Muskete gelehnt, davorstand. Es war der Squire, und wir winkten ihm mit einem Taschentuch und riefen ihm ein dreifaches Hurra zu, in das Silvers Stimme so herzhaft wie nur eine einfiel.

Und was begegnete uns drei Meilen weiter gerade in der Mündung der Nordeinfahrt anderes als die »Hispaniola«, die dort allein kreuzte? Die letzte Tide hatte sie flottgemacht, und wäre dort soviel Wind und ein so starker Flutstrom gewesen wie an dem südlichen Ankerplatz, so würden wir sie wohl nie oder nur hoffnungslos gestrandet wiedergefunden haben. So aber war außer dem havarierten Großsegel nichts an ihr auszusetzen. Ein anderer Anker wurde klargemacht und in anderthalb Faden Tiefe fallen gelassen. Wir alle ruderten wieder zur Rum-Bucht, der Ben Gunns Schatzhaus zunächst gelegenen Stelle, und dann kehrte Gray allein zur »Hispaniola« zurück, wo er die Nacht als Wache verbrachte.

Eine sanfte Steigung führte vom Strande aus zum Eingang der Höhle hinauf. Oben empfing uns der Squire. Zu mir war er herzlich und freundlich und erwähnte nichts von meinem Ausreißen, weder im Guten noch im Bösen. Als Silver höflich salutierte, stieg ihm die Röte ins Gesicht.

»John Silver«, sagte er, »Ihr seid ein ungeheuerlicher Schurke und Betrüger, ein Riesenbetrüger, Sir. Man hat mir gesagt, ich solle nichts gegen Euch unternehmen. Gut, ich werde es nicht tun. Aber die Toten, Mann, hängen wie Mühlsteine an Eurem Halse.«

»Dank Euch herzlich, Sir«, erwiderte der lange John, aufs neue salutierend.

»Untersteht Euch, mir zu danken«, schrie der Squire. »Das ist eine grobe Pflichtverletzung von mir. Weggetreten!«

Dann begaben wir uns alle in die Höhle. Sie war groß und luftig, mit einer kleinen Quelle und einem Becken voll klaren Wassers, das von Farnen überwuchert wurde. Der Boden war sandig. An einem großen Feuer lag Kapitän Smollett, und hinten in einer Ecke sah ich beträchtliche Haufen von Münzen und viereckig aufgeschichteten Goldbarren. Das war Flints Schatz, den zu suchen wir so weit hergekommen waren und der schon das Leben von siebzehn Männern von der »Hispaniola« gekostet hatte. Was alles es gekostet hatte, ihn anzusammeln, wieviel Blut und Leid, wie viele Schiffe in den Grund gebohrt wurden, wie viele brave Seeleute mit verbundenen Augen über die Planke hatten gehen müssen *, wie viele Kanonenschüsse, Schande, Lügen und Grausamkeiten, vermochte vielleicht kein Lebender zu sagen. Und doch waren noch drei – Silver, der alte Morgan und Ben Gunn – auf dieser Insel, die an diesen Verbrechen ihren Anteil hatten, und jeder von ihnen hatte vergebens damit gerechnet, seinen Teil von dem Lohn zu erhalten.

»Komm herein, Jim«, sagte der Kapitän. »Auf deine Art bist du ein guter Junge, aber ich glaube nicht, daß wir beide wieder zusammen zur See fahren werden. Du bist mir zu sehr Protektionskind. – Seid Ihr das, John Silver? Was führt Euch denn her, Mann?«

»Zu meiner Pflicht zurückgekehrt, Sir«, erwiderte Silver.

»Ach so«, entgegnete der Kapitän, und das war alles, was er sagte.

War das ein Abendbrot an diesem Tage im Kreise meiner Freunde, und war das ein Mahl mit Ben Gunns gesalzenem Ziegenfleisch, einigen Leckerbissen und einer Flasche alten Weins von der »Hispaniola«. Niemals, glaube ich, waren Menschen vergnügter und glücklicher. Und Silver saß im Hintergrund fast

---

* Von einer über die Reling ragenden Planke mit verbundenen Augen ins Wasser springen lassen (Anmerkung des Übersetzers).

außerhalb des Feuerscheins, aß aber mit gutem Appetit und war jederzeit bereit aufzuspringen, wenn etwas fehlte, und stimmte harmlos in unser Lachen ein – ganz der gleiche geschmeidige, höfliche, dienstbereite Seemann, der er bei der Ausreise gewesen war.

Zu guter Letzt

Am nächsten Morgen machten wir uns zeitig an die Arbeit, denn der Transport dieser großen Menge Gold fast eine Meile weit über Land bis zum Strand und von dort aus drei Meilen weit mit dem Boot zur »Hispaniola« war eine beträchtliche Aufgabe für eine so kleine Zahl von Leuten. Die drei Burschen, die sich noch auf der Insel herumtrieben, störten uns nicht viel. Eine einzige Wache auf dem Abhang des Berges genügte, uns gegen einen plötzlichen Überfall zu schützen, und überdies glaubten wir, daß sie vom Kampf mehr als genug hatten.

Daher wurde die Arbeit frisch vorangetrieben. Gray und Ben Gunn fuhren mit dem Boot hin und her, während die übrigen in ihrer Abwesenheit den Schatz am Strand auftürmten. Zwei von den Barren, in ein Tauende gebunden, waren für einen erwachsenen Mann eine gute Last – eine Last, mit der er gern einen langsamen Schritt anschlug. Ich für meinen Teil war beim Tragen nicht viel nütze. Deshalb war ich den ganzen Tag über damit beschäftigt, das gemünzte Gold in Brotsäcke zu packen.

Es war, was die Verschiedenheit der Prägung betraf, wie Billy Bones' Schatz eine seltsame Sammlung, aber noch um vieles größer und mannigfaltiger, daß ich glaube, nie mehr Spaß als beim Sortieren gehabt zu haben. Englische, französische, spanische, portugiesische Goldstücke, Guineen, Louisdore, Dublonen und Zweiguineenstücke, Moidore und Zechinen, die Köpfe aller europäischen Könige der letzten hundert Jahre, seltene orientalische Münzen mit Prägungen, die wie Bündel von Bindfäden oder Spinnweben aussahen, runde, viereckige und solche, die in der Mitte durchbohrt waren, damit man sie um den Hals tragen konnte – fast jede Geldsorte aus der ganzen Welt muß wohl einen Platz in dieser Sammlung gefunden haben; und an Zahl waren sie wie Herbstblätter, so daß mein Kreuz vom Bücken und meine Finger vom Sortieren schmerzten.

Tag für Tag ging diese Arbeit voran, jeden Abend war ein Vermögen an Bord verstaut, aber ein anderes wartete auf den nächsten Morgen; und während dieser ganzen Zeit hörten wir von den drei überlebenden Meuterern nichts.

Schließlich – ich glaube, es war in der dritten Nacht –, als der Arzt und ich einen Spaziergang an dem Abhang des Berges machten, von wo aus wir einen Überblick über die Niederungen der Insel hatten, trug uns der Wind aus der dichten Finsternis unter uns einen Lärm zu, halb Johlen, halb Singen. Es war nur ein Bruchstück, das an unsere Ohren drang, dann herrschte wieder Stille.

»Der Himmel verzeihe ihnen«, sagte der Arzt, »das sind die Meuterer.«

»Alle betrunken, Sir«, ließ Silvers Stimme sich von rückwärts vernehmen.

Das war so ziemlich das letzte, was wir von den drei Piraten hörten. Nur einmal hörten wir aus weiter Ferne den Knall eines Gewehrschusses und nahmen an, sie wären auf der Jagd. Eine Beratung fand statt, und es wurde beschlossen, sie auf der Insel zurückzulassen, zur ungeheuren Freude Ben Gunns, muß ich sagen, und unter dem starken Beifall Grays. Wir ließen einen reichlichen Vorrat an Pulver und Blei zurück, die Hauptmenge des gesalzenen Ziegenfleischs, etwas an Arzneimitteln und einige andere notwendige Dinge, Werkzeug, Kleidung, ein Ersatzsegel, ein paar Meter Tau und auf besonderen Wunsch des Arztes ein hübsches Geschenk an Tabak.

Das war so ungefähr das letzte, was wir auf der Insel taten. Vorher hatten wir den Schatz verladen und für den Notfall genügend Wasser und den Rest des Ziegenfleischs an Bord genommen, und schließlich lichteten wir an einem schönen Morgen den Anker, und das war alles, was wir tun konnten. Unter derselben Flagge, die der Kapitän am Blockhaus gehißt und unter der er gekämpft hatte, segelten wir aus der Nordeinfahrt hinaus.

Wie sich bald herausstellte, müssen die drei Burschen uns genauer beobachtet haben, als wir dachten. Als wir nämlich die Enge passierten, mußten wir sehr auf die Südspitze zuhalten, und da sahen wir alle drei auf einer sandigen Landzunge knien und die Arme bittend nach uns ausstrecken. Ich glaube, es ging uns allen zu Herzen, sie in diesem elenden Zustand zurückzulassen, aber wir konnten keine neue Meuterei riskieren. Und sie nur für den Galgen mit nach Hause zu nehmen, wäre eine grausame Wohltat gewesen. Der Arzt rief sie an und sagte ihnen, daß wir ihnen die Vorräte zurückgelassen hätten und wo sie zu finden wären. Aber sie fuhren fort, uns beim Namen zu rufen und uns zu bitten, um Gottes willen gnädig zu sein und sie nicht an solch einem Ort sterben zu lassen.

Als sie schließlich sahen, daß das Schiff auf seinem Kurs blieb und jetzt schnell außer Hörweite kam, sprang einer von ihnen – ich weiß nicht, wer es war – mit einem heiseren Schrei auf die Füße, riß sein Gewehr von der Schulter und feuerte einen Schuß ab, der über Silvers Kopf pfiff und das Großsegel durchschlug.

Daraufhin gingen wir hinter dem Schanzkleid in Deckung, und als ich dann wieder Ausschau hielt, waren sie von der Landzunge verschwunden, und diese selbst kam mit der wachsenden Entfernung allmählich außer Sicht. Das war schließlich das Ende, und noch vor Mittag war zu meiner unaussprechlichen Freude der höchste Felsen der Schatzinsel im blauen Rund der See versunken.

Wir waren so knapp an Leuten, daß jedermann an Bord Hand anlegen mußte – nur der Kapitän lag im Achterdeck auf einer Matratze und gab seine Befehle, denn wenn er auch weitgehend wiederhergestellt war, so bedurfte er doch noch sehr der Ruhe. Wir nahmen Kurs auf den nächsten südamerikanischen Hafen, denn ohne frische Besatzung konnten wir die Heimreise nicht wagen, und so, wie die Dinge lagen, waren wir durch umlaufende Winde und ein paar heftige Stürme alle erschöpft, ehe wir unser Ziel erreichten.

Es war gerade bei Sonnenuntergang, als wir in einem sehr schönen, von Land eingeschlossenen Golf vor Anker gingen, wo uns sofort Neger, mexikanische Indianer und Mischlinge in ihren Ruderbooten umringten, um Obst und Gemüse zum Kauf anzubieten und nach einem kleinen Geldstück zu tauchen. Der Anblick so vieler gutgelaunter Gesichter – besonders der schwarzen –, der Duft der tropischen Früchte und über alldem die Lichter, die in der Stadt aufzublinken begannen, bildeten einen höchst reizvollen Gegensatz zu unserem düsteren, blutigen Aufenthalt auf der Insel. Um hier den Abend zu verbringen, fuhren der Arzt und der Squire an Land und nahmen mich mit. Hier trafen sie den Kapitän eines englischen Kriegsschiffes, kamen mit ihm ins Gespräch, besuchten ihn an Bord seines Schiffes, und verlebten dort, kurz gesagt, einen so angenehmen Abend, daß der Tag bereits anbrach, als wir längsseits der »Hispaniola« kamen.

Ben Gunn war allein an Deck, und sobald wir an Bord kamen, begann er, uns unter seltsamen Verrenkungen ein Geständnis abzulegen. Silver war weg. Der Ausgesetzte hatte durch die Finger gesehen, als dieser vor einigen Stunden mit einem Ruderboot ausgerissen war, und jetzt versicherte er uns, er habe es nur getan, um unser Leben zu retten, das sonst sicher verwirkt gewesen wäre, wenn »der Mann mit dem einen Bein an Bord geblieben wäre«. Aber das war nicht alles. Der Schiffskoch war nicht mit leeren Händen gegangen. Unbeobachtet hatte er ein Schott durchbrochen und einen der Säcke mit Münzen im Wert von vielleicht drei- oder vierhundert Guineen als Reisegeld für seine weiteren Wanderungen mitgenommen.

Ich glaube, wir alle waren froh, ihn so billig losgeworden zu sein.

Nun, um es kurz zu machen, wir heuerten einige Leute an, hatten eine gute Heimfahrt, und die »Hispaniola« erreichte Bristol gerade zu dem Zeitpunkt, als Mr. Blandly daran dachte, das Hilfsschiff auszurüsten. Nur fünf von denen, die ausgefahren waren, kehrten mit ihr zurück. »Sauft, und der Teufel besorgt den Rest«, daß es eine Art hatte; wenn wir auch sicher nicht ganz so schlimm dran waren, wie das andere Schiff, von dem sie sangen:

> »Nur einer kam von der Mannschaft nach Haus,
> und mit fünfundsiebzig fuhren sie aus.«

Jeder von uns erhielt einen reichlichen Anteil von dem Schatz und verwandte ihn klug oder töricht, je nach seiner Veranlagung.

Kapitän Smollett hat sich jetzt von der See zurückgezogen. Gray hat nicht nur sein Geld bewahrt, sondern auch, plötzlich von dem Wunsch ergriffen hochzukommen, sich in seinem Beruf weitergebildet. Heute ist er Maat und Teilhaber eines schönen Vollschiffes, überdies verheiratet und Familienvater. Was Ben Gunn betrifft, so erhielt er tausend Pfund, die er innerhalb von drei Wochen oder, genauer gesagt, in neunzehn Tagen wieder verschwendete oder verlor, denn am zwanzigsten kam er bettelnd wieder zurück. Dann erhielt er einen Portiersposten, genauso wie er es auf der Insel befürchtet hatte. Er lebt immer noch als Liebling der Dorfjugend, wenn auch bisweilen als Zielscheibe für ihre Späße, und als ein bemerkenswerter Kirchensänger an Sonn- und Feiertagen.

Von Silver haben wir nichts mehr gehört. Dieser furchtbare seefahrende Mann mit einem Bein ist schließlich völlig aus meinem Leben verschwunden. Aber ich glaube, er hat seine alte Negerin gefunden und lebt vielleicht noch in aller Behaglichkeit mit ihr und Käpt'n Flint. Wir wollen es hoffen, meine ich, denn seine Aussichten auf Behaglichkeit im Jenseits sind sehr gering.

Soviel ich weiß, liegen das Barrensilber und die Waffen noch dort, wo Flint sie vergraben hat, und sie können meinetwegen dort ruhig liegenbleiben. Keine zehn Pferde würden mich zu dieser verfluchten Insel zurückbringen; und die schlimmsten Träume, die ich je habe, sind die, in denen ich die Brandung an ihren Küsten donnern höre, oder wenn ich im Bett auffahre und mir die gellende Stimme Käpt'n Flints noch ins Ohr gellt: »Piaster! Piaster!«

Nachwort

Als »Die Schatzinsel« 1883 veröffentlicht wurde, war Robert
Louis Stevenson erst 33 Jahre alt. Er hatte das Buch kurz zuvor
in Davos in der Schweiz vollendet, wo er sich wieder einmal wegen seines Lungenleidens aufhalten mußte. Vielleicht wäre dieser
spannende Abenteuerroman überhaupt nie geschrieben worden,
wenn der Autor nicht so oft auf seine Gesundheit hätte Rücksicht
nehmen müssen. Übrigens war es ebenfalls eine Krankheit, wenn
auch eine weniger gefährliche, durch die Stevenson auf den Gedanken kam, dieses Buch zu schreiben. Wie er selbst erzählt, hatte
er einmal lange Wochen in einem schottischen Landhaus verbringen müssen, um eine hartnäckige Erkältung zu kurieren. Hier
traf er einen Schuljungen, der seine Ferien mit Malen und Zeichnen ausfüllte. Stevenson freundete sich mit ihm an und begann
auch zu zeichnen und zu malen. Die beiden übertrafen sich in
immer bunteren und phantasievolleren Zeichnungen.

Eines Tages entwarfen sie die Landkarte einer Insel. Doch nicht
genug damit. Die Küste erhielt abwechslungsreiche Buchten und
Einschnitte, Berge hoben sich in den Himmel, bedeckt mit Wäldern, Quellen schwollen zu Flüssen an und bildeten Moore und
Sümpfe. Die dichterische Phantasie entzündete sich immer mehr
an dieser zufälligen Zeichnung. Etwas Abenteuerliches mußte auf
der Insel geschehen, und was konnte aufregender sein als eine
Schatzsuche? So war die Grundidee der Handlung geboren. Nun
galt es, diese Schatzsuche möglichst spannend ablaufen zu lassen.
Wie das dem Dichter gelungen ist, haben wir ja gelesen. Auf
John Silver, den Schiffskoch, war Stevenson besonders stolz. Man
spürt, wie gerade dieser verschlagene, hinterhältige, einbeinige

Schurke die Vorstellungskraft des Dichters beflügelte. Und weil Stevenson auch noch immer an den Jungen denken mußte, mit dem er die Landkarte der Schatzinsel entworfen hatte, sollte natürlich auch ein Junge im Mittelpunkt der Handlung stehen. Der Roman wurde sehr viel mehr als ein Jugendbuch, er wurde ein Meisterwerk, ein Abenteuerroman von Weltrang, der heute in sehr viele Sprachen übersetzt ist.

»Die Schatzinsel« war nicht Stevensons erstes Werk. Er hatte zuvor schon etliche Erzählungen veröffentlicht, die seine Begabung als Schriftsteller außer Zweifel stellten. In späteren Jahren folgten noch viele Erzählungen und Romane. Eigentlich hätte Stevenson ja Architekt werden sollen wie sein Vater, der in Edinburgh (Schottland) sein Brot als Leuchtturmbauer verdiente. Die Liebe zum Meer mochte den Vater zu diesem Beruf gebracht haben, eine Liebe, die er auf den Sohn vererbte. Mit dem Architekturstudium wenigstens war es bei Robert Louis nichts, statt dessen studierte er Rechtswissenschaft. Seinen Beruf als Anwalt übte er jedoch nie aus. Die Neigung zur Schriftstellerei wurde immer stärker, besonders seit er sich in französischen Künstlerkreisen umzutun begann.

1879 reiste Stevenson nach Kalifornien, wo er seine spätere Frau kennenlernte. Von nun an war er viel unterwegs, mal in England oder Schottland, mal in der Schweiz oder an der Riviera. Schließlich zog er nach dem Tod seines Vaters 1887 nach Amerika. Von hier aus unternahm er eine zweijährige Reise durch die Südsee und ließ sich 1890 auf der Insel Upolu im Samoa-Archipel nieder. Die Eingeborenen hingen bald an ihm und nannten ihn »Tusitala«, d. h. »Geschichtenschreiber«; und als er 1894 an seinem Lungenleiden starb, wurde er sehr betrauert. Seinen Sarg trugen sie auf den Gipfel eines Berges und setzten ihn an Stevensons Lieblingsplatz bei. Auf Befehl des Häuptlings durfte dort fortan keine Feuerwaffe mehr getragen und kein Tier mehr getötet werden, weil ihr »Tusitala« an Tieren und Vögeln so viel Freude gehabt hatte.

Barbara Gehrts

Aus Geschichte und Zeitgeschichte in den Ravensburger Taschenbüchern

Die Welt der Pharaonen
Von Hans Baumann. Wagemutige Ausgräber entdecken ägyptische Tempel und Pyramiden. Mit Fotos.　　　　Band 35

Der Sohn des Columbus
Von Hans Baumann. Fernan darf seinen berühmten Vater auf seiner Reise in die Neue Welt begleiten.　　　　Band 246

Flakhelfer Briel
Von Josef Carl Grund. Herbst 1944. Der Luftkrieg bringt Tod und Vernichtung.　　　　Band 271

Verschwörung des Schweigens
Von Josef Carl Grund. Der 14jährige Benito lernt die tödliche Macht der Mafia auf Sizilien kennen.　　　　Band 329

Die Spur der Navahos
Von Frederik Hetmann. Heutiges Leben und Vergangenheit eines indianischen Volkes. Mit Fotos.　　　　Band 350

Es lebe die Republik
Von Jan Procházka. Der zwölfjährige Olin wird immer gehetzt – nicht nur im Krieg.　　　　Band 234

Schwarze Schatten über dem Amazonas
Zwei junge Europäer wollen die Verbrechen des Indianer-Schutzdienstes aufdecken.　　　　Band 241

Zwei außergewöhnliche Sachbücher ab 10 Jahren

David Macaulay
Sie bauten eine Kathedrale
Deutscher Jugendbuchpreis 1975

80 Seiten, mit 84 Abbildungen. Aus dem Englischen übersetzt von Monika Schoeller. Pappband.

„Hier entstand eine neue Form des Sachbilderbuches: der amerikanische Architekturprofessor erbaute eine Kathedrale — mit der Zeichenfeder. Zu einem knappen, fiktiven Text wird in technisch hervorragenden Zeichnungen der Fortgang des Baues geschildert, von den ersten Gesprächen des Domkapitels über die Finanzierung bis zur feierlichen Einweihung." Aus dem Jurybericht zum Deutschen Jugendbuchpreis.

„Ja, so muß man Geschichte erzählen, wenn sie Jugendlichen, denen Geschichte sonst schnuppe ist, zu einem Abenteuer des Wissens werden soll: in Bildern nämlich, wie sie D. Macaulay gezeichnet hat." Die Welt, Hamburg.

Eine Stadt wie Rom

112 Seiten, 101 Abbildungen. Aus dem Englischen übersetzt von Monika Schoeller. Pappband.

Der Autor läßt uns ein großes städtebauliches Abenteuer in allen Phasen dokumentarisch und anschaulich miterleben: den Bau der erfundenen römischen Stadt Verbonia, an deren Geschicken wir 125 Jahre lang teilnehmen. Beginnend mit der Landvermessung, dem Bau der Zufahrtsstraßen, der Errichtung der Stadtmauer und ersten Häuserblocks, erlebt der staunende Leser, wie sich Leben in der jungen Stadt entwickelt. Das Forum, der Markt, Läden und Werkstätten entstehen. Tempel, Thermen und zuletzt ein Amphitheater zeigen die kulturellen und zivilisatorischen Bedürfnisse der wachsenden Bevölkerung. — So wird Geschichte für junge und ältere Leser zum Ereignis.

Artemis Verlag · Zürich und München

Fordern Sie Sonderprospekte an vom:
Artemis Verlag, 8000 München 40, Martiusstraße 8, Postfach 26